学長！出番です。

学長ときどき医師の徒然草

朝日大学 学長　大友 克之

PHP

『学長！　出番です。』発刊に寄せて

株式会社紀伊國屋書店　代表取締役会長 兼 社長　高井昌史

紀伊國屋書店は、日本国内にとどまらず、アメリカ、東南アジア、中東を中心に一〇〇を超える店舗と三七の営業拠点を有し、グローバルに事業を展開している書店です。近年は、都内、地方を問わず、書店が閉店するニュースを聞きますが、当社では二〇二七年の創業一〇〇周年を見据えて新宿本店のリニューアルを行い、「新宿の紀伊國屋に行けばあらゆる本と出合える」という強みを持っています。また、大学など高等教育機関や企業を対象に営業している外商事業は売上の大きな柱となっています。さらに、新宿本店に併設した紀伊國屋ホールは来年には六〇周年を迎える劇場として、多くの演劇人が羽ばたく舞台としての役割も果たしています。このように、当社は世界の学術分野、芸術・文化に貢献して参りました。

残念ながら、ご縁がなく、岐阜県には店舗を構えていませんが、大学を中心に外商では大変お世話になっております。全国に歯科医師を送り出す一方、多数の公認会計士を誕生させている大友学長が率いる朝日大学様には多くのお取引をいただいており、大友学長の義理の弟にあたる宮田淳理事長とも親しくさせていただいています。また、宮田理事長のもと、大友学長は千葉県の明海大学に理事としてかかわっており、明海・朝日グループと紀伊國屋書店の付き合いも深いものがあります。明海・朝日グループは、私立大学では少子化の影響で定員割れする学校が増えているように高等教育の経営が厳しい中にあっても、海外の学校と提携（協定を結び交流）を積極的に行うなど、国際感覚を取り入れ、チャレンジしながら健全経営を行っているのです。宮田理事長を大友学長が支える形で活動されており、将来を嘱望されております。

なぜ、私が朝日大学学長の著書の推薦のことばを書かせていただくことになったかというと、東京の成蹊学園がご縁で、私が会長を務める同窓組織「成蹊会」において大友学長は中学・高等学校同窓会の会長を務めており、高等教育や出版書店業界などについて忌憚なく意見交換をさせていただいてきた仲間として、お認めいただいたからではないかと考えている次第です。

その大友学長が書かれた本とはどのような内容だろうと楽しみにして、刊行前のゲラを拝読しました。岐阜県テニス協会会長として大会の表彰式で大坂なおみ選手に声をかけたお話や南アフリカ共和国の伝説のラグビープレイヤーとの交流など、書かれたエッセイから色々な要職に就いてリーダーシップを発揮し、スポーツや文化にも理解がある、多趣味で多彩な側面が見えてきます。また、コロナ禍の中にあってワクチンの大学拠点接種を決断・実行するなど、自ら行動し実践するリーダーとしての顔が見えてくるとともに、コロナ禍での卒業式を思い出に残る式典にするためにあの手この手を繰り出すお話からは、人間性あふれるあたたかみが伝わってくるのです。読み出すと止まらない面白さを感じさせる文章は、成蹊小学校時代に鍛えられた日記教育の賜物で、幼少期、日記指導に毎日午前様まで付き添っていらっしゃった今は亡き著者のお母様の力添えがあったからこそと感じております。

アメリカには全土に優秀な高等教育の場(大学)があります。一方、日本では首都圏や関西に有力な私立大学が集中する現状があります。四十二歳という若さで朝日大学学長に就任し、東京と岐阜を往復しながら、その知名度を急上昇させた大友学長には、そのような現状を変えるべく、日本の高等教育の牽引役としてリーダーシップを発揮し、中部圏から世界に向けて情報発信を行っていただきたいと期待しております。

プロローグ

「学長さんって、どんな仕事をされているんですか?」とよく聞かれる。無論、とても一言では言えないが、学長としての日々の行動や出来事、そして感じたことを書き綴る機会は大変多かった。

整形外科医の筆者が四十二歳で学長職に就き、早十六年目を迎えた。この間、入学式や卒業式といったセレモニーでの式辞、結婚式や先輩諸氏の叙勲を祝う会などさまざまな行事に招かれての祝辞、学内行事や各種団体への挨拶文や医療系雑誌への寄稿、インタビューや座談会の採録記事の校正、そして書評にいたるまで文章を書く機会に恵まれた。

十年ほど前、朝日大学の地元・岐阜放送(ぎふチャン)のテレビ番組で、統一地方選挙の開票速報生番組や夕方のニュース番組にコメンテーターとして出演するうちに、親会社である岐阜新聞より夕刊へのコラム執筆の依頼を受けた。五五〇文字程度で月二本のペースで書き続けること四年半。一〇〇本程度を書いたところで夕刊自体が廃刊となり、筆を置いた。

しばらく眠らせていたが、筆者の教育係を務める学校法人朝日大学常務理事の赤石健司先生より「折角だから、コラムを一冊の本にまとめなさい」というアドバイスを受けた。これが『感情の記憶』と題して岐阜新聞社より二〇一九年に発刊した前著である。

他方、学長として一般社団法人日本私立歯科大学協会の役員を拝命していたが、同協会の事務局長である白石薫二氏より「私が文部科学省に勤めていた頃からよく知っている加藤勝博社長という方がいます。教育関係の雑誌を作っていますが、お会いしてみますか?」と。どんな話でも基本的には断らない性格から、早速お会いすることとした。加藤社長率いるジアース教育新社は『文部科学教育通信』という高等教育に関する情報誌を月二回発行し、特に大学の管理職の方々に広く読まれている。

初めて社長とお会いした際に、岐阜新聞に寄稿したコラムを紹介したところ「是非、うちの雑誌で連載しませんか?」とお声かけをいただき、これをお受けした。岐阜県から発信するということで社長は「美濃国便りでいかがでしょうか」と提案されたが、筆者なりにいろいろと思案した結果、メインタイトルは松尾芭蕉の理念を引用して「不易流行」とし、サブタイトルを「美濃国便り」とした。

さらに社長より、一ページならタイトルを入れておよそ一四〇〇文字程度。見開き二ページであれば三〇〇〇文字まで書けますよ、とのご提案。その場で決めきれず「とりあえず書いてみてから考えてもよいですか?」と尋ねると、即ＯＫをくださった。さてさてＰＣを開いて書き始めたが、岐阜新聞で五五〇文字程度のコラムを書き慣れたせいか、二〇〇〇文字を超えてくると息切れがし、二四〇〇文字あたりで「落ち」が来てしまう。読み返しながら内容（文字数）を膨らませると、全体としてどこか間延びした文章となる。これはどうにもならないと痛感し、社長に頭を下げて各回一ページで進めることにした。

記念すべき第一号は2018年7月23日号。夏山の話題から始めた。同社で私のコラムを担当してくださった中村憲正氏とは二週間に一度のメールでのやり取りが続いた。文字数が超過すると、中村氏が上手に修正してくださった。表現の稚拙さをカバーするため、あるいは文字数が足らない場合には写真の挿入をお願いすると、総文字数と写真サイズを上手に調整して段組みしてくださった。全国の学長や学部長が集まる会議等に出席した際に、「先生のコラム、見てますよ」と言われると、正直とても嬉しかった。コロナ禍でも休むことなく2022年6月13日号まで書き続けた。

二〇二二年の春、沖縄県を代表する地方紙・沖縄タイムスの武富和彦社長、女性編集長の与那嶺一枝氏とお目にかかるご縁を頂戴した。拙著『感情の記憶』をご紹介したところ、「沖縄の問題に関心を持っていることに驚きました。月一本になりますが本紙にコラムを書きませんか？」と声をかけていただいた。聞けば同年七月より一年間、四名で毎週土曜日に担当する「うちなぁ見聞録」というコラム欄に、一三〇〇文字程度。現在書いている「不易流行」と同じ書き慣れた長さであり、その場でお引き受けした。

しかし、岐阜へ戻ってよく考えてみると、沖縄が抱える諸問題と対峙しつつ月三本のコラム執筆は、日本大学理事長の林真理子先生ご執筆の「夜ふけのなわとび」ではあるまいし、自身の能力をはるかに超えていると悟り、ジアース教育新社の加藤社長に「一年間、沖縄タイムスへの執筆に傾注をしたい」と「不易流行」の連載中断を申し出たところ、ご了承をいただけた。

あらためてコラム「不易流行」を振り返ると四年弱で九四編のコラムが並んだ。これを、成蹊学園の大先輩で株式会社紀伊國屋書店代表取締役会長兼社長の高井昌史氏よりご紹介いただいた、かの有名な株式会社PHP研究所より一冊の本にまとめるお話をいただいた。あらためて加藤社長に、同社からの上梓を申し出たところ、ジアース教育新社でも書籍の発刊を行っているにも関わらず快く受け入れてくださった。寛大なるご理解に、この場をお借りして感謝申し上げたい。

こうして、本書『学長！　出番です。』の発刊が決まった。

さてさて「学長はどんな仕事をしているのか？」　読者の皆さんも新型コロナウイルス感染症と闘った日々を振り返りながら、お読みいただければと存じます。

それでは「我が朝日大学学長室へようこそ！」

目次

PART1 医の道に生きる

PART2 毎日を楽しむ

PART3 スポーツの心を育む

PART4　好きなことをしよう

PART5　困難を乗り越える知恵

PART 6 決してあきらめない

PART 7 教育者としてのまなざし

本書は、『文部科学教育通信』2018年7月23日発行（第440号）から2022年6月13日発行（第533号）の連載「不易流行—美濃国便り—」を修正し再編集したものです。ただし、記事は必ずしも時系列で並んでいるわけではありません。

PART 1

医の道に生きる

朝日大学病院での手術を終えて

夏は山

海の日の連休が過ぎ、梅雨が明けるといよいよ夏本番である。夏休みを利用して海や山へという方も少なくないのでは。筆者は幼少の頃から山登りとスキーを趣味にしていた父親に連れられて、夏はいつも「山」であった。

順天堂大学の出身で外科医であった父は、標高二七六三mの燕岳（つばくろだけ）頂上稜線にある山小屋、燕山荘（えんざんそう）の先代オーナー赤沼淳夫氏からの要請を受けて、昭和二十八年、順天堂大学医学部山岳部の諸先輩とともに夏山診療所を開設した。夏山診療所とは、登山客の怪我や急病に対応するため夏休み期間中に限定して開設される山岳診療所で、大学卒業後に医師となったＯＢたちが自分の短い夏休みを使って交代で登山をして、診療活動に従事する。ご存じのように昭和四十年代は空前の登山ブームで多くの人々が山に押し寄せた。登山道は列をなし、山小屋でもすべての客を既存の部屋だけでは収容しきれず、廊下にまで客があふれ、夜中にトイレへ行くのも困難だった。そんなこともあって、診療所にも多くの患者が昼夜を問わず訪れた。当時小学生であった筆者は、診療する父親の姿を横目で見ながら山岳部の医学生とトランプに興じていたが、父たちのこういった活動が山の安全の一助となっていることを子どもなりに理解していた。

父の背中を追って、四年上の兄は父と同じ順天堂大学に進学し、ほどなくして山岳部に入った。しかしながら父の山狂いに半ばあきれていた母は、兄の入部に際して「冬山だけは絶対に行かないで」という条件を付けた。その結果、山岳部員であるにもかかわらず兄の活動のメインは夏山診療へとシフトしていった。へそ曲がりであった筆者は昭和大学医学部に進学。小学校から始めたラグビー部に入部した。その一方で、父や兄からは「昭和大学には北アルプス後立山(うしろたてやま)連峰の最高峰の白馬岳と、南アルプス最高峰の北岳に診療所があるぞ」と聞かされていた。

入学してみると順天堂大学とは異なり、山岳部による診療所ではなく「白馬診療部」、「北岳診療部」という部活が存在し、多くの部員が他の運動系や文化系クラブと兼部していた。夏山だけであれば母も許してくれるであろうと思い、白馬診療部の門を叩いた。これで親子三人、「夏は山」派の完成である。あれから三十年以上が経過したが、未だに父、兄は燕岳で、筆者は白馬岳での診療活動に従事している。

今年(二〇一八年)も診療所開設準備のため、残雪まぶしい五月末に現地白馬村に入った。村の呼び名は「はくば」。JRの駅も、地元の県立高校も「はくば」。しかし山の呼び名は「しろうまだけ」。その由来は「雪形」と呼ばれる山の黒い岩肌と白い雪とによって形作られる模様にある。長い冬を越えて五月初旬になると気温が上昇して、白馬岳山頂より向かって北側の斜面に、山頂側を向いた躍動感あふれる農耕馬の雪形が現れる。

白馬村周辺では、この雪形が現れると田植えの準備である代掻き作業の適期であると広く知られていた。この代掻き馬が代馬となり、現在の白馬と呼ばれるようになったそうだ。古くから言い伝えられている伝統的な雪形だけでも北アルプス全体で三〇弱、全国では三〇〇ほど出現する。今年も残雪が形作った跳ね馬がわれわれを歓迎してくれたが、馬の色は黒であり、白馬というよりもむしろ「黒馬岳」と呼ぶべきかもしれない。

2018年7月23日

白馬の由来となった雪形（2018年５月　猿倉より撮影）

昭和大学白馬診療所

真夏でも眼前に広がる全長二㎞の大雪渓と、独特の生態系を持つ高山植物のお花畑が登る者を魅了する白馬岳。北アルプス屈指の人気コースとして、この夏も多くの登山者が訪れている。筆者は昭和大学に入学し、一年生の時から「白馬診療部」という部活に所属し、卒業後も医師として山岳診療所の活動に従事してきた。

今年（二〇一八年）も昭和大学白馬診療部は七月十五日から八月十四日までの約五週間、山頂直下の白馬山荘（標高二八三二m地点）と白馬岳頂上宿舎（二七三〇m地点）の二カ所に診療拠点を構える。歴史を紐解くと、現在の株式会社白馬館の先々代オーナーであった松沢貞逸氏が明治三十九年、白馬山荘の前身となるわが国最古の近代型山小屋を設立した。そして昭和七年に、昭和大学による診療所が山小屋内に開設された。いわゆる医学部・医科大学が設置する山岳診療所の草分け的な存在である。

毎夏およそ六〇名のOB・OG医師と七〇名の学生が交代で登山してリレー方式で診療活動を支える。白馬岳への登山口に位置する猿倉荘、白馬尻小屋、白馬鑓（はくばやり）温泉小屋、そして縦走ルートに位置する天狗山荘、白馬大池山荘の計五つの衛生小屋からの要請に対しても、各小屋の従業員と連携して診療に応じる体制を整えている。登山道で発生した診療要請、あるいは滑落などの外傷症例については、長野県山岳遭難防止対策協会から委嘱を受けた夏山常駐パトロール隊員と連携して現場へと駆けつける。携行する医薬品については昭和大学がすべてを準備するため、山での診療費は無料。活動する医師、学生はすべてボランティア。各自の夏休みをやり繰りし、手弁当で上がってくる。

診療部の医学生は四月から夏山の準備を開始する。五月末にはわれわれOBと共に白馬村を訪れ、村長をはじめ現地の関係機関との意見交換を行い、大町市の保健所にその夏の診療所の開設届けを提出する。六月に入るとOB医師を招いて内科系疾患、外科系疾患、診療所で扱う医薬品といったテーマ別の勉強会を開催する。学生にとって最も重要なことは、開設期間中の医師を確保すること。山の上に無医村を作らぬようにと、学生たちはOB名簿を開いて、先生方の自宅、あるいは病院、診療所へ電話をかけまくる。現存する白馬診療部のOB・OG数は五二一名だが、どうしても週の前半の医師確保には難渋する。

山小屋での生活を紹介すると、起床は六時。ただし縦走に出発していく登山客は四時過ぎから行動を開始するため、山小屋を離れる前に診てもらいたいという患者に対応するため、診療室に宿直者を置いて対応している。毎朝八時から診療所のミーティング。前日に登山してきた医師、学生が挨拶をし、次に下山予定の医師、学生が挨拶と申し送りをする。直近二十四時間の診療内容について報告し、その後、代表的な症例を学生がプレゼンテーションする。これに対して学生同士で質問し合い、また医師が、鑑別すべき疾患や必ずやっておくべき問診、診察方法等について助言する。約一時間程度のミーティングだが、上級学年の学生にとっては緊張する時間帯でもある。

十三時を過ぎる頃には、山小屋に登山客が続々と到着してくる。山頂を目指して一気に上がってきて、リュックを下ろして部屋に入り、夕食まで一寝入り。睡眠によって呼吸回数が減ることで低酸素状態が悪化し、頭痛で目が覚めると吐き気まで現れる。いわゆる高山病の症状を呈して診療所を受診する患者のピークが夕食前後の時間帯。その後も脱水症状など診察依頼は夜半まで続く。もちろん、病院内で日頃の運動不足が蓄積しているわれわれドクターも山へ上がると患者予備軍であり、登山前から十分な体調管理が求められる。

2018年8月13日

白馬山荘内の診療所スタッフ

雲の上の診療所

母校昭和大学のクラブ活動のひとつである「白馬診療部」は、今夏（二〇一八年）も北アルプス白馬岳（標高二九三二m）の山頂直下に位置する白馬山荘と白馬岳頂上宿舎内に診療所を開設し、登山客の健康と安全を守った。八月十四日までおよそ五週にわたって診療活動を行ったが医学部、医科大学による山岳診療所のパイオニア的な存在として、八十七年目を迎えた。

筆者は、昭和大学に入学後から「白馬診療部」に入部し、毎夏、白馬岳の山小屋で過ごした。医学部最終学年の六年生の時は、まず一週間、白馬岳山頂の診療所で過ごし、次の一週間は東日本医科体育大会のラグビー公式戦があり下山。大会が終わるとすぐに白馬岳に戻り、その後四週間、診療所に常駐した。夏休みの終わりに受けた大学の定期試験は散々な結果であったが、翌年春には卒業しその年の医師国家試験にも無事合格できたのは、母校の熱心な教育と実践を通じた山岳診療所での学びのおかげと、今も感謝している。

医学部での学びは基本的に六年間。白馬診療部では各学年の学修到達度に応じた仕事が与えられる。一、二年生は定時の連絡係や診療所内の清掃、診療器具の消毒等を担当する。また下級学年は「遠足」と呼ばれる日帰りの山歩き、あるいは「近足」と呼ばれる半日の山歩きをすることで、白馬岳周辺の登山道の様子、地理や地形、衛生小屋との距離、風向きなどを頭と身体に教え込む。こういった経験の蓄積によって、受診者に対して適切な下山ルートをアドバイスできるようになる。

上級学年になると医師の診療補助業務に携わる。基本的な問診、診察の方法、カルテの書き方を学び、OB医師から直接指導を受ける。高山病に対する酸素投与、脱水症に対する点滴、転倒・転落事故で発生した裂挫創に対する縫合処置、脱臼・骨折に対する整復・固定など内科・小児科から外科・整形外科領域まで症例はさまざま。診察と治療行為はあくまでもライセンスを有する医師が行うが、学生は常に患者の横に立ち「どんな病気を疑うか、鑑別すべき病気は？」、「標高二九〇〇mという環境下でどのような治療法を選択するか？」といった応用力と判断力を養う。

他の医科大学、医学部も同様の山岳診療所を展開している。主だったところを紹介すると、順天堂大学の燕岳・燕山荘、東京慈恵会医科大学の槍ヶ岳・槍ヶ岳山荘、東邦大学の西穂高岳・西穂山荘、富山大学の双六岳・双六小屋、信州大学の常念岳・常念小屋、岐阜大学の奥穂高岳・穂高岳山荘、千葉大学の鹿島槍ヶ岳・冷池山荘と北アルプス地方に集中している。一方、南アルプスの最高峰北岳の北岳山荘には、昭和大学の「北岳診療部」が診療所を開設している。

さて今夏の白馬岳診療所の受診者総数は、内科系疾患九五件、外科系疾患五六件であった。近年、登山客の高齢化にも対応し、診療活動のみならず登山前後の健康管理や高山病に対する理解を深めるといった予防活動にも力を注いでいる。

この秋にも三〇〇〇m級の山々に挑戦される方には、どうか以下の6つの点についてご留意いただきたい。

1　スケジュールには余裕を持って。体調不良のまま登山をするのはやめましょう。
2　登山の前日には十分睡眠をとりましょう。夜行での移動は要注意。
3　登山中は水分を多めにとりましょう。
4　濡れた衣類はすぐに着替えましょう。速乾性の衣類をお薦めします。
5　山荘(頂上)についたらすぐに寝ないで、軽い散歩や深呼吸をしましょう。
6　山の上では酔いやすいため、節度ある飲酒を心がけましょう。

２０１８年８月27日

アンチエイジング

テレビのリモコンを見つめていると地上、BS、CSのボタンが並び、視聴者の選択肢は格段に増えた。しかしコアな時間帯を除くと通販番組ばかり。サプリメントやダイエット器具など「健康」にまつわる商品自体にそれほどの興味はないが、仕事柄、番組内に登場した医師がどのようなデータに基づいて説明するか、ついつい見入ってしまう。そんな中、やはり耳目を集めるキーワードは「アンチエイジング」である。

日本語では抗加齢と訳されるが、この分野の学会が一五年ほど前に立ち上がり、本格的な研究が進められている。年齢を重ねるといったプロセスに介入して、加齢とともに起こる動脈硬化や、がんのような加齢と関連する病気の発症リスクを下げ健康長寿を目指す医学だが、ある雑誌は「嘘だらけアンチエイジング―医師と業者が貪る七千億円市場」なる記事を掲載し、その実態に対して疑問符を投げかけている。

そこで筆者が日々の診療を通じて提案するアンチエイジングのポイントを三つご紹介する。専門が整形外科であることを差し引いてお読みいただきたい。まず一点目は常に若い心を持つこと。

年齢の若い人とおしゃべりをする、交流する、美しいモノを見る、美味しいモノを食べる、新しいことに興味を持つ。聖路加国際病院の日野原重明名誉院長は二〇一七年に百五歳で亡くなられたが、「命とは人間の持っている時間のこと」と定義し、シニアの新しい生き方を提案された。わが国も人生百年時代を迎え、プラス思考でさまざまなことにも挑戦したい。特にカラオケや楽器演奏は、目や耳といった五感をフルに使う点で効果は高い。

次に「人は見た目」。先人はよく言ったものである。これも筆者の持論だが、特に七十五歳を過ぎたらその方の余命は、実年齢よりも見た目の年齢の方が確かではないかと考える。平均寿命を八十五歳とすると、七十五歳の方は残された人生はあと一〇年くらいと考えるが、周囲から「七十歳には見えませんね……」と言われる方。

おそらく顔立ちだけではなく姿勢や歩き方、話題の豊富さ、記憶の確かさ等も影響していると思われるが、さらに長生きするであろう。周囲の目を少し気にしてのちょっとしたおしゃれ、あるいは気配り。そういったマインドを持ち続けることもアンチエイジングに有効である。

三点目はサプリメント。多くの患者から「どのサプリメントが良いでしょうか?」と聞かれる。「ご自分が効くと思うものを飲まれてはいかがでしょうか?」と無難な応対をしているが、その回答では患者の満足度は低い。そこで筆者が薦めるのはビタミンC。私たちは空気中の酸素を取り入れて生きている。取り入れた酸素の一部が身体の中で活性酸素という反応性の高い物質に変化する。活性酸素はその強い力で体内のウイルスを撃退したりするが、これが増えると体内のDNAやタンパク質を傷つけ細胞の機能を低下させ、がんや動脈硬化、糖尿病などの原因にもつながることが明らかになってきた。

ビタミンCの主な働きとしてこの活性酸素を退治する抗酸化作用があり、ここにアンチエイジング効果が期待される。進行したがん治療のひとつとして高濃度ビタミンC療法を推奨する医師もいるが、理論的には合致するものの効果のほどは何とも言い難い。果物類を多く取ってビタミンCをと考える向きもあろうが、近年は品種改良によって糖度の高い果物が増えた。かえって糖分の取り過ぎになることにも留意したい。

目指すは不老長寿。そして〝ピンピンコロリ〟。筆者の提案では到底七千億円市場には食い込めない。さて、信じる者は救われるか。

２０１８年９月10日

あなたの指先は大丈夫？

この冬はインフルエンザが流行した。学長、学部長が集まった会議でも「大学に学級閉鎖っていうのはあるのでしょうか？」などという話題が飛び出すほど。A型に罹患した後に、B型にも罹患した、という方もいたと聞く。昨年（二〇一八年）五月に塩野義製薬が、新薬「ゾフルーザ」を発売して最初の冬、というのも話題のひとつであった。

筆者は幼い頃から気管支ぜんそくで苦しんだ。寝ていると肺がうっ血してさらに苦しくなるため、布団の上に座ってヒューヒューと肩で息をする、いわゆる起坐呼吸で夜を明かした。子どもながらに呼吸困難で「死ぬかと思った」。進学した成蹊小学校では林間学校があり、一・二年生は成蹊学園の箱根寮で寝泊まりした。いわゆる湿った重い布団に枕投げが加わると、五分も経たぬうちに気道が狭くなり早々に戦線から離脱。教員の部屋に逃げ込んだものの結局、同級生と離れて別室で過ごす夜が続いた。

ぜんそくから離脱できたのは小三の頃だったか。それでもアレルギー体質は改善せず、大学生になってもほこりや家ダニは大敵。ラグビー部の合宿へ行っても、特に朝練の時に、冷たい外気を急に吸い込むと寒冷刺激によってぜんそく様の症状が誘発された。そのため、とにかく風邪を引くことにはかなり神経質になった。

最近は「意味がない」との論調も散見されるが、医師として風邪の予防には、やはりマスクと手洗いは有用だと考える。感染ルートはおもに飛沫と接触にある。マスクには「他人にうつさないため」と「自分がかかりたくない」という両面が期待されるが、後者だけを考えると、確かにマスクでウイルスの侵入を完全に防ぐことは難しい。しかし、予防意識を高め、かつ口腔から気道内の乾燥を防ぐという利点は見逃せない。

筆者が特にお勧めするのは接触感染をいかに防ぐかである。感染した者がくしゃみや咳をおさえた手で周りのものに触れてウイルスが付着、そこを触った手で自分の口や鼻、あるいは目をこすることで粘膜から感染する。日頃あまり見つめることのなくなった(?)奥様でも、仕事仲間でも五分間、じっと観察してみてほしい。人は案外、指で目をこすったり、爪や指先を鼻や口に突っ込んでいるものだ。

では、どこにウイルスが付着しているのか？　もちろんウイルスは筆者にも見えない。しかしながら多くの人が頻回に触る場所を洗い出してみよう。まず電車のつり革。筆者は輪っか自体を握らず、つり革部分か、つり革をひっかけている横棒を握るようにしている。エレベーターのボタン。

一階の「開く」のボタン、エレベーター内の「閉める」のボタンや「一階」の表示ボタンなどは特に押される頻度が高い。

そこで筆者は握りこぶしを作り、人差し指の第二関節で押すことにしている。公衆トイレの出入り口や水栓金具も危険。風邪だけでなく食中毒の代表格であるノロウイルスも潜んでいる。筆者はトイレを済ませたら、かならず石けんで手を洗い、自分のハンカチで手をふく。水を止める際は、栓自体をハンカチでつまんで閉める。エアータオルも良いが、前に使った人の水しぶきが跳ね返ってくるタイプもあり、これも要注意。ここまで注意を払っても、トイレを出る際に扉の取っ手を直に握ってしまっては効果半減。そこで、引き戸の場合にはそのハンカチで取っ手をつかんで開ける。押し戸の場合には、肘で押し開ける。

本学の理事長は年に数回風邪を引いていたが、このアドバイスは効果覿面。最近はすっかり風邪を引かなくなった。風邪を引きやすいという方は是非、騙されたと思って手洗いと接触感染防止を励行してみてはいかがだろうか。

2019年4月8日

歯科における産学連携活動

本年（二〇一九年）五月、四川省成都で開かれた「第一五回日中大学フェア&フォーラム in CHINA 2019」に参加した。初日には「日中学長円卓会議」が開催され、日本側から三七の大学、高専等の、中国側から三三の高等教育機関の代表者が出席。筆者は「産学連携のベストプラクティス」というお題のテーブルに割り振られた。両国間で「産業」の在り方自体が大きく異なる中、どのような活動を発表すべきか悩んだ末に、私どもが歯科大学からスタートしたことに立ち戻り、これまで取り組んできた歯科予防活動について紹介した。その一端をご紹介したい。

朝日大学は一九七一年岐阜歯科大学として創立し、本年で四八年目を迎えた。わが国の歯科疾病構造は、この五〇年間で大きく変化を遂げ、う蝕、いわゆるむし歯治療を中心としたものから成人に対する歯周病治療、そして高齢者の口腔ケアなど予防医療へとシフトしている。この背景には、歯科大学における基礎・臨床研究に基づき、地域の保健所、小学校、地域歯科医師会、そして歯科関連企業が連携して、子ども、保護者に対する丁寧なブラッシング指導や啓蒙活動がある。

本学は行政、企業からの支援を受け、一九七五年より地元の小学校におけるフッ化物洗口、フッ化物歯面塗布、口腔衛生指導、啓蒙活動に取り組んできた。一九八九年には、小学校一年からう蝕予防活動を六年間受けてきた学童が二十歳を迎え、彼らの成人式において歯科健診を実施して、予防活動の成果を評価した。その結果、小学校一年からこの活動を受けた成人のむし歯経験歯本数は、日本の平均のむし歯経験本数の二分の一であった。この結果を受けて、学校における口腔衛生活動の大切さについて国内外に発信してきた。

わが国において少子高齢化といった人口動態の変化が見え始めた一九八九年、厚生省（現・厚生労働省）と日本歯科医師会、全国二九の歯科大学が連携し「八〇二〇運動」すなわち「八十歳になっても二〇本以上の自分の歯が残存していれば、生涯、楽しく充実した食生活を送ることができる。そのために自分の歯を大切に保とう」という運動を開始した。

運動開始当初の達成率は七％で、八十歳到達時の平均残存歯は四～五本であった。しかしながら歯を抜かない治療、また歯周病に対する治療法の進歩等も後押しした結果、二〇〇五年には達成率二一・二％に、二〇〇七年には二五％まで上昇。二〇一七年六月の調査報告で五一・二％を達成した。

現在の歯科保健活動の柱は、以下のようになっている。

1　一歳六カ月児、三歳児歯科健診、予防活動
2　保育園、幼稚園、小学校でのフッ化物洗口と歯科健診
3　職場、地域での歯科健診
4　障がい者歯科保健活動
5　在宅寝たきり高齢者歯科保健活動
6　歯科保健教育、相談事業

朝日大学は、わが国での歯科衛生活動の成果を還元する目的で、現在、北京大学口腔医学院との連携に基づき、中国における歯科衛生士養成プログラムの作成とその人材育成に協力している。国立研究開発法人科学技術振興機構による「さくらサイエンスプログラム」の支援を受けて北京大学から歯科専門看護師を招聘し、大学、地域での保健活動、ライオン株式会社をはじめとする歯科関連企業での研修を行っている。特に歯科領域における訪問診療、在宅診療は、中国にはない診療スタイルとして注目されている。

すべての産学連携活動は、国民に資するものであり、またその成果を数値化し、可視化することで、国民の理解を得る。これを朝日大学の産学連携活動の理念としている。

２０１９年８月12日

中村哲先生に捧ぐ

ここ岐阜の銀杏並木が黄金色に輝いた師走のある日、アフガニスタンで人道支援活動に奔走するNGO「ペシャワール会」の現地代表を務める中村哲医師が、現地を車で移動中に何者かに銃撃され怪我を負ったとの報が届いた。病院に搬送された、命に別状なしとのことでほっと胸をなで下ろしたのも束の間、その二時間後、訃報が駆け抜けた。享年七十三歳であった。

筆者は整形外科医として、国立がんセンター（現・国立がん研究センター）において九州大学系の先生方の下で勉強させていただいた。ある先生から、九大の同門で、パキスタンで医療活動を展開する中村先生の存在を教わったのが最初のきっかけだった。その頃は、いずれ自分も発展途上国を訪れ、医療支援に身を投じようと夢見ていた。

学長職に就き、二〇一三年より学長企画の初年次教育「建学の精神と社会生活」を新設した。大学生になったばかりの一年生に「朝日大学で学ぶ意義を考えてもらう」。そのためには「ホンモノを見せて、知的好奇心を刺激する」。あえて社会性の高いテーマを設定し、各分野のトップランナーの招聘に汗を流した。その中で二〇一五年から二年連続で中村先生をお招きして講演していただく機会を得た。

毎週水曜日の三限目に設定した必修科目であったが、ペシャワール会からの要請は分かりやすいものだった。「まずは若い学生さんたちに中村の活動を知ってもらう」とのことで事前に、先生の活動を紹介したテレビ番組のビデオを複数本送ってきて、どの作品でもよいので、最初の九〇分でドキュメンタリー映像を見せる。その後、四限目にホンモノの中村先生が登壇され、六〇分の講演。その後は質疑応答、という形式であった。

医療支援を続ける中で、二〇〇〇年にアフガニスタンの大干ばつを経験し、良質な水源の確保の必要性を痛感。「私はヤブ医者だから」と、医療活動は別の部隊に任せて、先生が先頭に立って、五年間で一六〇〇の井戸を掘った。さらに「病気や貧困の背景にあるのは食糧問題。農地の回復が急務」と、灌漑用水路を建設し、水源の確保と緑地化を推し進めた。

先生の故郷にある山田堰（福岡県朝倉市）をモデルにした取水堰の話、蛇籠（じゃかご）と呼ばれる技法を用いて用水路の護岸を補強する話。コンクリートで固めるのではなく、あえて日本の二二〇年前の技術を再現することで、現地の人々が維持管理のできるものを創ることが大事だと強調する。

先生は語りかける。「われわれは、近代的な技術を投入すればすべてのことが可能であるかのような錯覚をしている。これは土木分野でも医療でも同じ。人間と人間はもちろんのことだが、人間と自然がいかに折り合って仲良くしていくか、これが大きな時代の流れとなっている。人間はどこへ行くのか？」「多民族が暮らし、谷ごとに異なる部族が暮らすアフガニスタンは日本人にとって最も分かりにくい国の一つ。言葉、習慣、宗教の違いを認識した上で、いかに相手のことを理解するか、何を苦しんでいるのか、彼らの声に耳を傾けることから始めよう。自分が見慣れないものを見ると、われわれの価値観、物差しで見てしまう。単に違いであるものを、優劣や、進歩している、遅れているとか、善悪で決めようとする。私たちは、現地の風習、文化、宗教をそのまま受け入れることを一つのルールとしてきた」――。

学長室には今も先生が残された「照一隅」の言葉が飾られている。

2020年1月13日

2015年に朝日大学で講義された中村哲先生

がんとともに生きる社会へ

朝日大学歯学部と姉妹校である明海大学歯学部が、UCLAとの連携の下、卒業した歯科医師を対象とした生涯研修事業を展開し、二一年目を迎えた。医科と比較すると歯科は大学卒業後の独立(開業)が早い傾向にあり、一〇年、二〇年と診療を続けるうちに、最新の診断や治療法に触れる機会も少なくなりがち。地域の歯科医師会も研修の場を提供し、個々の歯科医師の研鑽を奨励しているが、すべての開業歯科医師が歯科医師会に所属しているわけでもなく、そういう意味では「学び直し」や「医院経営への支援」等を含めて、大学がこのような場を提供することは価値があると考える。おかげさまで、明海・朝日両大学以外の歯学部、歯科大学の卒業生の参加も年々増加している。

二月(二〇二〇年)のある日曜日、この生涯研修の一環として、国立がん研究センター名誉総長で、現在、日本対がん協会会長をお務めの垣添忠生先生を講師としてお招きした。筆者は大学院生時代に、国立がんセンター中央病院整形外科で二年間、研修をさせていただいたが、泌尿器科がご専門の垣添先生は当時、病院長。その後、総長を務められ、まさに雲の上の存在。センターを離れて四半世紀が経過したが、今般、先生の講演の座長を務めるご縁を頂戴した。

休日にもかかわらず会場は勉強熱心な歯科医師で満員であった。「がん」とはどのような病気か？　から始まり、二〇〇七年に肺がんで亡くなられた奥様のお話、ご自身が克服された大腸がん、腎臓がんのお話、人生観や死生観、そして口腔ケアの必要性や「かむ力」を維持して健康長寿を実現することなど、多岐にわたるテーマを話された。先生は一九四一年生まれ。毎日腹筋五〇〇回、背筋一〇〇回、腕立て伏せ一〇〇回等をこなされているとのことで、パワーポイントを巧みに使いながら、二時間の講義を立ちっ放しでこなされた。

特にがん治療の権威を支えてこられた奥様を、がんで亡くされたご自身の経験について「家で死にたいという妻を連れて帰り、在宅で看取りました」、「四〇年間の人生の伴走者を失い、最初の三カ月は苦悩しました」、「その後の六カ月から一年は、死ねないから生きる、であれば積極的に生きる。登山に、カヌーに、そしてかねて興味のあった居合を始め、執筆活動にも打ち込みました」と。これらの経験を通じて、妻の死後から死が怖くなったことについて、こう語られた。

「妻を見送る経験を経て、私は自分の死についても思いを馳せるようになりました。いつか自分が旅立つ時がきたら、私は自分の骨を、妻の遺骨の一部とともに奥日光の森閑とした湖畔に撒いてもらいたいと思い、その準備をしているところです。粉々になった骨は土に紛れ、春には野草の芽吹きに押しのけられながら、陽光のぬくもりに包まれるでしょう。夏の嵐に洗われ、錦繍に抱かれ、純白の深雪に清められ――」（垣添忠生著『悲しみの中にいる、あなたへの処方箋』より）。

われわれ医療者は、尊い命を預かり、「病気を治しましょう」と言ってできることを精一杯やってきた。しかし治療の限界を突き抜けて、その病が治せないことを知ると、しばしば無力感に包まれ、信頼してくれた患者さん、そしてご家族に対しても申し訳ないという自責の念に駆られた。命を救えなかった患者さんのことは、二〇年経っても忘れることはない。垣添先生は講演の中で「人間の強さ、弱さをすべて包摂して医療はある」、「がんも多彩なら、人も多様である。この組み合わせの無際限ともいうべき多様性を頭に置いて、日々患者さん・家族と向き合おう」と呼びかけた。その言葉を胸に、明日からのがん治療に取り組んでいきたい。

2020年3月9日

熱く語りかける垣添忠生先生

整形外科医のつぶやき——シップ編

「冷たいシップと、温かいシップ。どちらがよいのでしょうか」。患者さんからしばしば聞かれる質問の一つである。貼ると冷やーっとした感じ、あるいはスーっとした感じが無いシップは、どうも人気がない。そうはいっても貼った時の感触は、もって一時間程度。

整形外科医として三〇年、診察室では「急性炎症にはまずは局所を冷やして。慢性であれば、むしろ局所の血行を良くするために温めた方がよい」と説明してきた。スポーツ外傷学で、アスリートが怪我をした際にまず行う処置として、それぞれの頭文字をとったＲＩＣＥ療法なるものがある。Ｒ：Rest—安静、Ｉ：Icing—冷却、Ｃ：Compression—圧迫、Ｅ：Elevation—挙上。手足でいえば、副木などを使って固定し、局所を氷で冷やし、圧迫。可能であれば、心臓や頭よりも高く挙げる。

シップもこの三〇年ほどで変化を遂げた。テレビＣＭで「インドメタシン配合」などと叫ばれた頃から、冷か温かよりも、痛み止めの成分が塗られたタイプが主流となった。一方、古典的な温シップは皮膚かぶれを起こしやすい、また入浴後に貼ると低温やけどを起こすことがある等の理由から、市場としては縮小し続けている。このニーズを受けて売り上げを伸ばしているのが貼るタイプの使い捨てカイロである。サイズも腰に使うタイプから、両肩に貼るようなタイプまで大小あり、高齢者からの人気も高い。

変化という意味では、貼り具合や貼り心地への飽くなき追求が見られる。昔のシップは汗をかいたり、関節の動きによってすぐに剥がれてしまった。接着力を強めると皮膚かぶれを起こす。そこで、シップにハサミで切り込みを入れたり、両端を押さえるために伸びるテープ材や関節部を巻くネットを使ったが、どれも今ひとつであった。むしろテープ材に薬剤を塗布したタイプが登場し、二十四時間貼っても剥がれなくなってきた。「かぶれる」「剥がれる」といった課題も解決へと向かいつつある。

岐阜へ赴任した頃、外来で患者さんから「ゲロコをください」と言われて困った。あらためて看護師さんにたずねると「湯治場で有名な下呂温泉で作っている軟膏剤のこと。ガーゼや包帯に塗って貼ったので、お年寄りはシップのことを『下呂膏』と呼んでいます」と。江戸末期に二世奥田又右衛門が整骨の技術を習得し、湯治に訪れた患者に施術を行った。その技術は伝承され、明治期に五世又右衛門が接骨医として活躍。その腕は神技と称えられ全国から患者が訪れた。五世は家伝の秘薬を使ったが、評判が評判を呼び、昭和九年「東上田膏（ひがしうえだこう）」として発売するに至った。七世又右衛門が昭和四十七年、株式会社奥田又右衛門膏本舗を設立し、現在に至っている。

海外にはシップの文化がない。そう聞いて、米国の病院を歩いたところ、鎮痛や解熱目的で坐薬が頻用されていた。局所には塗り薬を使っている。わが国では軟膏やクリーム基剤が主流だが、米国ではゲル剤が主流。

「シップは日本にしかないのか」などと思いながら、学生募集活動でベトナム・ホーチミンを訪れたところびっくり。街道筋に立ち並ぶ売店に、新聞や飲み物と一緒に久光製薬のサロンパスが洗濯ばさみにつままれ一枚売りされていた。ハサミで切って、こめかみ部分にも貼ると聞きさらに驚き。昭和の時代にお婆ちゃんがやっていたあの習慣だ。ドイモイ（経済開放）政策下で誘致を受けた久光製薬が一九九五年、ホーチミン北部にシップの生産工場を設置し、ベトナム国内のスーパーでも売られるまでに普及させた。ちなみに筆者の強い希望で、二〇一四年より学部学生を対象とした海外研修コースに、久光製薬の工場見学を組み入れている。シップの文化も奥が深い。

2020年10月12日

コロナ禍　医療現場雑感

新型コロナウイルスがわが国に上陸して、一年が過ぎた。全国的には第三波が三月（二〇二一年）初旬に収束へと向かったが、がん、心臓病、脳血管疾患や糖尿病といった急性期医療を担う中核病院や高齢者施設など、身体的弱者が集まる場でクラスターが散発している。われわれ医師の立場から見ると、新たな変異株の拡がりを含めて、しばらくは気を抜けない管理が要求され、現場のご苦労が偲ばれる。

過日、小児がん治療の最前線に立つ仲間から話を聞いた。白血球数が千（通常四千〜八千程度）を切るような厳しい抗がん剤治療を継続するには、新型コロナウイルスの外部からの持ち込みをどうしても避けなければならない。そのため、子どもたちの最も大事な精神的支えとなっているご両親の面会を制限せざるを得ず、療養中の子どもたちが通常以上に精神不安定に陥り、消灯時間を過ぎると泣き声が止まらない、と。

不安な気持ちは小児病棟内で連鎖し、夕方になると「夜が来ないでほしい」と震える子も。筆者は過去、骨肉腫やユーイング肉腫といった高悪性度骨腫瘍の子どもたちを診てきた。抗がん剤の用意を始めると、「今週は赤色の薬と、黄色の薬だね」、「もうこれで終わりになるかな?」と作り笑いをしながら、真っ白な細い腕を差し出してくる。度重なる点滴治療の影響で子どもたちの皮膚は乾き、静脈も細く硬くなる。こちらも一発で注射を済ませようと、緊張で手が震える。そんな経験を思い出して、さらに胸が痛む。

さて、去る三月十七日に一回目のワクチン接種を受けた。私ども朝日大学病院は、昨年(二〇二〇年)三月末に岐阜市内で発生したクラスターに始まり、ほぼ通年、コロナ患者を受け入れてきた。多い時期は二五名の入院患者を受け入れたが、今般の医療者に対する優先接種で、岐阜県はここまでの受け入れ実績に応じて配布先を決定したため、県内でも早期にF社製のワクチンが供給された。

筆者には小児ぜんそくの既往があり、現在も花粉症に悩まされている。一応アレルギー体質を自称しているが、今回のワクチン接種については躊躇無く手挙げした。わが国は、子宮頸がんワクチンによる副反応の経験からか、「ワクチンは打ちたくない」、「様子を見たい」という声も聞かれるが、当院では医師の九五%が今回の接種を希望した。読者の皆様には是非、正確な情報に基づきご判断いただきたい。

毎秋接種しているインフルエンザワクチンと比較し、薬液の量が少ないためか、注射時の痛みはそれほど感じなかった。アレルギー反応が出やすいのは接種直後からおよそ三〇分以内だが、注射後、十分ほど経過すると身体が少しポカポカしてきた。周囲を見渡すと、五人に二人くらいの人がそんな感想を言っている。「注射して、何か反応が出た方が自分の身体に効いてるって気がするよね」と、医療者らしからぬ会話も。

帰宅時、接種者全員に「ワクチンを接種した方へ」と書かれた注意書が渡された。そこには「今回接種したワクチンは発症予防効果が認められていますが一〇〇%ではありません。基本的な感染対策(手洗い、マスク装着、三密回避等)は継続が必要です。ワクチンを接種してもノーガードで良いわけではないことを認識し、節度ある行動を心がけてください。」そして色つきの文字で「ワクチンは免罪符に非ず」と。これはおそらく筆者への警鐘であろう。

その夜は早めに就寝したが、接種した肩が痛んだ。寝返りの度に目が覚め、翌朝には五十肩になったかと思うくらい挙げるのに難渋した。この痛みが、抗体を作って私を守ってくれるであろう、いや、守ってくれるはずだ。

2021年4月12日

山小屋百周年を祝して

あけましておめでとうございます。本年もよろしくお願い申し上げます。

◇

新型コロナウイルス感染症拡大の第五波が去り、状況が沈静化した昨年（二〇二一年）末、長野県北アルプス燕岳（つばくろだけ）山頂の山小屋「燕山荘（えんざんそう）」の創立百周年記念感謝の会が松本市内で開かれた。外科医であった実父が、多年にわたり山小屋内の夏山診療所の運営に携わってきた縁で、父、小児科医の兄と共に出席した。厳しい感染対策を施しながら総勢一三〇余名全員が着座で、一卓四名までの正餐スタイル。「こういう会、本当に久しぶりだよね」という声があちこちのテーブルから聞かれた。

燕山荘は、創業者赤沼千尋氏が一九二一年（大正十年）に、標高二七六三mの燕岳山頂付近に九〇㎡五〇人収容の「燕の小屋（つばめのこや）」を建てたのが始まり。白塗りのハイカラなヒュッテで、二段式ベッドにコーヒーや紅茶、カレーライスが提供されたという。ヘリコプターもない時代に建築資材はすべて人力で担ぎ上げられ、屋根には雨水を回収再利用するためトタンが貼られた。奇しくもスペイン風邪の流行時であった。

帝国ホテルの大倉喜七郎社長の知友を得て、一九三四年に株式会社燕山荘が設立され、千尋氏が初代社長に就任した。小屋の名称を燕山荘と改名し、帝国ホテルグループに加わったことで、事務所は東京の同ホテルのアーケードの中に置かれた。

一九三五年、二〇〇人を収容できる本館が完成。その設計は帝国ホテルの高橋貞太郎氏によるもので、氏はその頃、学士会館や上高地ホテル、川奈ホテルといった歴史的建造物を手掛けている。

戦後の一九四九年、財閥解体により株式を帝国ホテルから千尋氏が取得し、以後は赤沼家が三代にわたって維持・発展させてきた。順天堂大学医学部が、夏山診療所を開設したのは一九五三年のこと。父は医学部山岳部の学生として、診療所の開設のため学内外を奔走したという。

一九六〇年代には第一次登山ブームが到来し、多くの登山客が北アルプス表銀座の玄関口である燕岳に足を運んだ。一九七二年には浩宮様（今上天皇陛下）がご登山され、燕山荘にご宿泊された。

「おもてなしの心」を大切にする赤沼家はプライベートの山小屋らしく、さまざまなイベントを開催して登山客を楽しませる。ビギナーを対象とした春山登山教室、雷鳥観察会、山小屋でのクラシックコンサート、秋の紅葉とケーキフェア、年末年始登頂ツアー、お正月餅つき大会など。極め付きは三代目赤沼健至社長によるホルン演奏である。スイスで有名なアルプホルンを社長お独りで演奏される。実は、筆者の結婚披露宴でも社長にホルンを吹いていただいた。

百周年を迎えた健至社長のメッセージはストレートだ。山小屋事業を継続していくためには、まさにＥＳＤやＳＤＧｓといった考え方が不可欠である、と。自然の中で学び、気付いたこととして、自然との調和こそ大切であり、環境に適応するために動物も植物もその変化に順応している。そのためにわれわれは水や空気を大切にし、酸素を供給してくれる植物を守る。普段の何気ない呼吸にも注意して、怒りや憎しみ、心配や悩み、恐怖、不安などマイナス思考で呼吸をしないように、とも。

ちょうどこの季節、すっぽりと雪をかぶった山頂周辺には、羽根を真っ白に変えてややふっくらと肥えた雷鳥が。そんな北アルプスの白銀の景色に思いを馳せながら、一年の安寧を祈りたい。

２０２２年１月10日

PART 2

毎日を楽しむ

日本三大峡谷 清津峡にて

東西の分かれ目

私ども朝日大学は、岐阜歯科大学として一九七一年に創立された。一九八五年に経営学部を増設した際に現在の校名に変更し、学生数二五九九名、四学部六学科を有する大学である。「岐阜」と聞くと、飛騨高山地方をイメージされる方が多いようだが、本学は県都岐阜市と大垣市の間に位置し、最寄りのJR穂積駅は名古屋駅から東海道線で二五分。東海道新幹線の岐阜羽島駅からは車で二〇分ほどの距離にある。大学の東側には清流長良川が、西側には揖斐川が流れ、広い意味で大きな輪中の中に立地している。

大学を中心に、東から南方向には濃尾平野が広がる。やや北東方向には斎藤道三、織田信長ゆかりの金華山岐阜城を、その遥か向こうには今なお白色の噴煙を上げる御嶽山(おんたけさん)を見ることができる。揖斐川に沿って北上すると今夏(二〇一八年)に全国最高気温で話題となった揖斐川町を抜け、二〇分もすると川幅も狭まり静かな里山に囲まれる。その源流、福井県との県境をなす冠(かんむり)山(やま)のふもとには日本一の総貯水容量を誇る徳山ダムが豊富な水を蓄える。西に目を向けると関ヶ原、そして伊吹山の山並みが広がり、ここが日本の東西の分かれ目であることを教えてくれる。東京で生まれ育った筆者が、朝日大学に赴任して二十二年目を迎えたが、さまざまな点でここ岐阜が「分かれ目」の地であることを意識させられる。

冬型の気圧配置が強まってくると、関東地方は晴天が続く。日本の屋根と呼ばれる日本アルプスで遮られているためだが、その山脈も岐阜県の西部まで来ると「屋根」が低くなり、しばしば雪雲が標高一三七七mの伊吹山を越えて濃尾平野へと流れ込んでくる。東京や名古屋が晴れていても、大学から空を見上げると、ちょうど揖斐川を境にして西側には鉛色の厚い雲が、東側には青空が広がるという天候にしばしば遭遇する。

歴史的には何といっても「天下分け目」の関ヶ原の戦い。小学生でも知っている史跡であるにもかかわらず、訪れてみるとどこで東軍と西軍が戦ったのか、今ひとつイメージしにくく残念百景のひとつと揶揄されてきた。二〇一五年、岐阜県と関ヶ原町は「関ヶ原古戦場グランドデザイン」を策定し、ビジターセンターの設置、景観整備等を進めてきた。司馬遼太郎の原作を映画化して、石田三成役を岡田准一が演じた映画「関ヶ原」が昨年夏に公開され、あらためて注目が集まり、本年(二〇一八年)七月には「関ヶ原ナイト2018」を開催。全国から多くの歴史愛好家が集まった。

この関ヶ原の戦いから遡ることおよそ千年。歴史上初のクーデターと呼ばれる壬申の乱でもこの地が激突の舞台となっている。当時、政治の中心であった西日本から東日本へと移動するには、地理的に見ても関ヶ原にある不破関、あるいは現在の三重県鈴鹿市にある鈴鹿関を通らざるを得なかった。現地を訪れて話を伺うと、「うちの一族は東軍を支援した」、「実は西軍の味方だった」などという話を超越して、「うちの祖先は天智天皇の太子・大友皇子（おおとものおうじ）側についていた」といった話題まで飛び出す。

食に関してよく取り上げられるのはカップ麺の汁。特にうどんでは、ここ関ヶ原を境に東側は関東風でかつおだしがベースの色の濃い汁が使われ、西側は関西風で昆布とかつおがベースの色の薄い汁が使われている。

東海道新幹線に乗ると名古屋から京都までおよそ三〇分。あっという間に通り過ぎてしまう岐阜県だが、今年（二〇一八年）はNHKの連続テレビ小説「半分、青い。」の舞台にもなった。筆者も未だ〝岐阜犬〟は見たことがないが、是非、機会をみて東西の「分け目」を体感していただきたい。

2018年9月24日

ありがとう築地市場

去る十月六日(二〇一八年)、世界でも有数の取引量を誇る日本の台所、築地市場が八三年間の歴史に幕を閉じた。

朝日大学は、姉妹校の明海大学と共に国際交流を積極的に推進している。二〇年以上にわたり海外の大学から学生を受け入れているが、東京観光で最も喜んでもらえる場所の一つが築地場内市場であった。午前四時過ぎ。都内の宿泊先ホテルでピックアップし、五時前には築地に到着。事前の届け出を経て、まずは東京都の事務所の一室で胸に「見学者」と書かれたオレンジ色の専用ベストと白い長靴をレンタルされる。二八㎝や二九㎝の大きなサイズまで取り揃えているので、西欧人にも喜ばれる。

日本人であれば場内のどこを観て回っても十分に楽しめるが、外国人が最も喜ぶのはやはりマグロの競り「ツナ・オークション」。近年、特に日本食ブームもあってマグロへの関心は高い。競りは五時二五分、そして五時五〇分からの二回行われる。冷凍マグロよりも、生鮮マグロの競りの方がやはり見応えがある。われわれの語学力が乏しいのか、いくら事前に説明してもご一行は写真撮影時にストロボを光らせたり、マグロの上をまたいで歩いたりと、仲買人をはじめ関係者の方々からよくお叱りを受ける。

それでも鐘が鳴り響き、いざ競りが始まると、その緊張感は言葉の壁を越えて彼らにもよく伝わる。競り落とされたマグロは、専用の大八車に載せられ続々と運び出され、競り場を出たところで解体されていく。特に冷凍マグロを大型の電動ノコギリでダイナミックに縦割りにしていく作業には歓声が上がる。

狭い仲卸売場を見学しながら、場内飲食店で朝食となる。いつも行列をなす六号館の大和寿司のカウンターでにぎり寿司をほおばる。店主も慣れたもので、ウニやイクラ、貝類についても流暢な英語で説明し、客人を喜ばせてくれる。ちなみに筆者は平成五年から七年まで、向いの国立がんセンター(現・国立がん研究センター)に国内留学をしていたが、研究のため病院に泊まり込むことも多かった。食事で外へ出る際、銀座側はさすがに敷居が高く、築地市場に足繁く通った。

場内にも数々の飲食店が立ち並ぶが、舌の肥えた市場関係者を満足させるのは味、値段ともに相当の努力を要する。筆者の行きつけは一号館のカレーの「中栄(なかえい)」。何と大正元年の創業。なかでもイチ押しの「合いがけ」は、中心にご飯を、傍らに千切りキャベツを盛り、左右に印度カレー、ビーフカレー、ハヤシの中から二種のルーをチョイスするというハーフ&ハーフ。その姿は、左に大西洋、右にインド洋を抱え込む南アフリカの喜望峰にも似ている。円地政広社長は築地市場の閉鎖を振り返り「さすがにぐっときた。豊洲では少し広くなる新店舗でがんばる」と語った。

東京五輪に向けた国立競技場の建て替えでも同じ感情を抱いたが、生まれ育った頃から街の風景として存在していた建造物が、老朽化という理由でその姿を消していくことは何とも寂しい。跡地利用についてはカジノ付ホテル、ディズニーランドなどさまざまな案が浮上しているが、興味深いのは野球場。サンフランシスコジャイアンツの本拠地であるAT&Tパークは右翼方向がサンフランシスコ湾に面し、海に飛び込む特大場外ホームランをスプラッシュヒットと呼んでいる。ここ築地に球場ができれば、場外ホームランの打球が隅田川に落ちて、それをプレジャーボートで拾いにいくという夢も実現するのでは。

2018年11月12日

UCLA歯学部長（右）を案内する

カレーライス

今や国民食の一つであるカレーライス。前項で、築地の場内市場のカレー屋「中栄」を紹介したところ、思いのほか、反響が大きいことに驚いた。大正元年創業の老舗で、去る十月十一日午前五時より豊洲新市場内の水産仲卸売場棟三階で営業を再開した。築地の頃と比較し店舗面積がやや広がり、入り口にはお持ち帰り用のカレールーの瓶詰めが並んだ。これからも市場に出入りするプロの胃袋を満たしてくれることであろう。ちなみに築地でいつも行列をなしていた寿司大や、牛丼吉野家も同じ水産仲卸売場棟に新店舗を構えた。

東京生まれの筆者だが、岐阜での生活も二二年目を迎え、日頃お世話になっているのが「カレーハウスCoCo壱番屋」。宗次德二（むねつぐとくじ）氏が昭和五十三年に創業し、本部は岐阜市の隣町である愛知県一宮市にある。東京から東名・名神高速道路を京都・大阪方面へ走っていくと、一宮インターチェンジの手前左手に大きな黄色い看板が見えてくる。このCoCo壱番屋の看板が見えてくると「そろそろ岐阜も近いな」と安心する。現在はハウス食品グループの傘下に入ったが、日本国内に一三〇一店舗、米国や中国、韓国、台湾、そして東南アジアなど海外に一六五店舗を展開している。他県から本学へ赴任してくる若手独身教員の多くも、ＣｏＣｏ壱番屋の魅力にはまっていく。

十月下旬に校務でベトナムのホーチミンを訪れた際、岐阜県の第一地方銀行である大垣共立銀行の現地駐在員事務所・大野寿所長から嬉しい話を聞いた。「今年(二〇一八年)の八月にホーチミン市内にＣｏＣｏ壱番屋ができたんです。ベトナム初のお店なんですけど。やっぱり食べると地元の味って感じがするんです」と。日本のカレー文化が広がりを見せる。

ＣｏＣｏ壱番屋の魅力は、ルーの美味しさだけでなく、トッピングの豊富さにあると筆者は考察する。あるデータによるとＣｏＣｏ壱番屋の都道府県別売上高ランキング第一位は沖縄県。沖縄本島に一四の店舗がある中、日本一客単価の高い店舗があると聞き、「沖縄嘉手納店」を訪れた。お昼時であったが、客の三分の二は在日米軍関係者。お店は嘉手納基地に隣接している。その日はたまたま米兵の送別会を兼ねたランチ会と重なり、店内は大盛り上がり。彼らの注文を見て驚いたのはまずその頼み方。われわれはどちらかといえばメニューの写真を見ながらロースカツカレーにしようか、やさいカレーにしようか、などと考えるが、彼らはまずライスの量、次にルーの辛さ、そしてトッピングを選んでいく。興味本位で次々と運ばれていく皿を見てびっくり。山盛りのライスの上にロースカツ、鶏の唐揚げ、その端にソーセージまで積み上がっているではないか！

私の知る限り日本人の多くは、白いご飯とカレールーを食べる分だけ混ぜながらスプーンで口へと運んでいく。しかし米兵らは、トッピングを楽しみつつ、まずはご飯とルーをすべて混ぜてしまい、茶褐色に染まった米たちをスプーンの背を使って皿いっぱいに拡げていく。ドライカレーと同じことかと自分に言い聞かせるが、どこか納得がいかない。

山盛りのトッピングを平らげた後に、冷えたカレーをつまみながらおしゃべり。そこでスプーンが止まった。右手を挙げて店員さんを呼んで何やら注文。運ばれてきたのはプラスチックケースと輪ゴム。彼らは、ルーを吸って膨張した冷えたカレーライスを「お持ち帰り」していった。明日の朝食にでもするのであろうか。

われわれの愉しみ方とは明らかに異なるが、食品ロスを無くそうとするその姿にどこか納得した。

2018年11月26日

今日もお疲れさま

師走を迎えるとお歳暮をはじめ、何かと宅配便のお世話になる機会が増す。一日複数回でも、玄関先まで品物を届けてくれる宅配業者の勤勉さには、本当に頭が下がる。筆者が子どもの頃、この時期に田舎の祖父母に贈り物をするとなると、まさに半日仕事であった。

わが家では、百貨店から届いた贈答品の包み紙を、日頃から丁寧に剥がしてたたんで保管しており、小包を作る際にはその中から適当なサイズの包装紙を選び出し、その裏面、すなわち無地の面を表にしてラッピングした。どうしたら無駄なスペースを作らずに、また緩みなく包むことが可能か？　デパートへ行くと店員さんの包装する仕方を、じっと観察したものだった。

次に小包の周囲を紐で十字に梱包する。以前は茶色い麻紐がよく使われたが、その後はポリプロピレンなどの白色の紐が一般化した。後者は若干伸びる分、結束後の緩みが少なく締めやすいものの、子どもながらに手に食い込む感じが嫌だった。父の指令で、紐についても包装紙と同様にリユースが奨励された。贈答品を受け取ったらまず可能であれば結び目をほどいて紐を束ねる。不可能であれば結び目の近くにはさみを入れて結び目を切り落とした後に、麻紐であれば本結びでつないで、滑りやすい材質の紐であれば、主に釣り糸同士の結紮（けっさつ）に使われるテグス結びでつないで束ねて保管した。

これらのリユース紐を使い「簡単にギュっと縛る」ことが求められるが、それぞれのご家庭によって縛り方は異なるのではないだろうか。自宅周囲のゴミ置き場に積まれた古紙の縛り方などを見ていると、かなりのばらつきがある。紐が緩んでいるのを見ると、ついつい手を出して結び直したくなるが、そういう場合ほど解きにくい結び方で縛られている。梱包品が軽くてかつ弾力性があれば本結びをして、十字部分は「の」の字掛けか、巻き結び。ある程度の重さがあり、かつしっかりとした箱を緩みなく縛るとすればもやい結び、かます結びなどと結紮方法も奥が深い。

梱包作業が終わると、品物の上面に郵便番号と住所、宛名を記入。切手代金は重さによって異なるため、わが家では郵便局窓口で計ってもらって手配というのが常であった。複数の小包を抱えて窓口に並ぶ。年末ともなれば窓口は年賀状と重なり大行列。もちろん今のような番号札もなく、ただひたすら待ち続ける。さっきしばった紐が指先に食い込んでくる。やっと自分の番が回ってくると、制服を着た局員が超上から目線で「紐が緩い」、「年内には着かないかもしれない」、「荷札の数が足らない」などとご指導。特に荷札は「くせ者」だった。

おそらくそれなりのルールはあったのであろうが、それが各家庭へ十分に浸透していたとは思えなかった。荷札を追加するとなると、数円支払って荷札を購入し、列を離れて荷札の表面に宛先、裏面に送り主の住所・氏名と書いていくが、この時ほど親が書いた字が読みにくいと思ったことはなかった。特に那覇市の「覇」の字など、正確に書けなかった。

あれから数十年が経過。小包が段ボールになり、梱包はパッキングと呼ばれるようになり、紐を使わずテープ材で簡単に作業完了。手提げ紙袋でも、またスキー板からゴルフのキャディバッグまで送れる時代になった。既にお亡くなりになったが、ヤマト運輸株式会社の小倉昌男元会長の手記を読んで、同社がこれまで「消費者側に立った経営」をいかに実践・展開してきたかを知り感動した。郵便局も紆余曲折を経て民営化し、現在は日本郵便株式会社となりサービスも格段に向上した。今日も宅配業者が走る。

２０１８年12月10日

ベトナム日記

事務局長と二人で久しぶりにベトナムを訪れた。留学生の紹介でお世話になってきたホーチミンの機関が、日本政府の外国人労働者受け入れ拡大の新方針を受けて、現行の技能実習生の送り出しを強化し、留学関連事業については扱いを縮小するとの報を受けてのことだった。

なぜわざわざ学長と事務局長が、とお考えの読者も少なくないであろう。十数年前に、岐阜県在住の日本人女性を妻に持つベトナム人男性と朝日大学との関係を構築したのが、その頃、アジア圏の留学生募集を担当していたわれわれ二人であった。当時は人材派遣業を営む日本人社長の下で働く三十代後半のナイスガイだったが、今は日本語学校だけでなく、米国で不動産投資なども手がける実業家へと成長していた。

さて、今回は渡航当日、午後二時まで東京で会議に出席し、岐阜へ戻らずそのまま成田空港へ移動。フライト時間はおよそ六時間。現地時間の夜九時過ぎにホーチミン市のタンソンニャット国際空港に到着した。南方特有の蒸し暑さと薄暗さを感じた空港は、二〇〇七年に国際線新ターミナルが完成し、すっかり近代化した。聞こえてくるベトナム語の柔らかさは変わらないのに、この十数年で服装や靴、眼鏡から髪型まですっかり洗練された。

空港まで迎えに来てくれたベトナム人青年と市内のレストランで遅い夕食を共にした。まずは「333」と書かれたローカルビールで乾杯。ベトナム語で「バー・バー・バー」と呼ぶ。以前は生温かいビールが出てきて、ビールグラスに氷を浮かべるよう指示されたが、氷やアイスクリームで食あたりする話をよく耳にしていたため、店員が持ってきてくれたアイスペールに直接ビール缶を突っ込んで、しばらく缶を回して冷やしたものだった。現在も、氷を入れて飲む習慣は残っているそうだが、今回のレストランでは冷えたビールが出てきて安心した。

翌日のランチは市内の路面店でフォーと呼ばれる米麺を楽しんだ。本場は北部のハノイだが、南部のフォーは茹でた牛肉ともやし、そして香草がたっぷり入っている。テーブルにはさらに、もやし、ハーブ類、スライスしたライム、赤味噌、唐辛子などが並び、自分風にアレンジできる。特に唐辛子の刺激に触発され、食べながら各種トッピングを加えていくと、どんぶりの中は原型をとどめない風貌へと変化し、食べ終わる頃にはティッシュペーパーを抱えていた。

一泊三日の弾丸旅行で、行動できるのは実質一日だけ。午前中に旧知のベトナム人社長と面談。午後からは本学経営学部の学生が海外研修でお世話になっている三菱商事、三谷産業、大垣共立銀行といった日系企業を回り、研修への謝意を伝えるとともに、支援の継続を要請した。

援蒋ルートを絶つため、仏領インドシナを無血進駐した日本への印象は、太平洋戦争終結後に旧宗主国であるフランスとの間で長く続いたインドシナ戦争、そして泥沼化したベトナム戦争と続いたこともあって、彼の国には親日家が多いとされる。

しかし近年、政治的には隣国中国との関係を深めている。長い歴史を紐解けば、建国の背景、言語、文化に至るまで中国の影響を色濃く受けている。若きベトナム人社長が「いずれは中国に飲み込まれてしまう」、「旧南ベトナム出身者ほど、そういう考えを持つ者が多い」と語る姿が印象的であった。ベトナムは変わった。支援する国から、アジアのパートナーへ。われわれがその変化に対応していかねばならない。

2019年1月28日

フォーとトッピング

麒麟が来そうだ

年始(二〇二〇年)よりNHK大河ドラマ「麒麟(きりん)がくる」が始まる。主人公の明智光秀について「本能寺の変」により「裏切り者」の印象が拭えない面もあるが、光秀ゆかりの地の一つであること岐阜県「美濃国」より、いくつかの情報をお伝えしたい。

まずは「麒麟がくる」というタイトル。何が始まるんだろう？ と見る者の好奇心を刺激する秀逸なタイトルだ。

公式ホームページによると「王が仁のある政治を行う時に必ず現れるという聖なる獣、麒麟。応仁の乱後の荒廃した世を立て直し、民を飢えや戦乱の苦しみから解放してくれるのは、誰なのか……そして、麒麟はいつ、来るのか？」「若き頃、下剋上の代名詞・美濃の斎藤道三を主君として勇猛果敢に戦場をかけぬけ、その教えを胸に、やがて織田信長の盟友となり、多くの群雄と天下をめぐって争う智将・明智光秀。『麒麟がくる』では、謎めいた光秀の前半生に光を当て、彼の生涯を中心に、戦国の英傑たちの運命の行く末を描く。従来の価値観が崩壊し、新たな道を模索する現代の日本人に向けて、同じように未来が見えなかった十六世紀の混迷の中で、懸命に希望の光を追い求めた光秀と数多くの英傑たちの青春の志を、エネルギッシュな群像劇として描く。光秀とはいったい何者なのか？　麒麟は一体、どの英雄の頭上に現れるのか（一部略）」。さて何者なのであろう。その生い立ちにも謎は多い。

諸説あるが、光秀が一五二八年に生まれたとされる岐阜県可児市の明智城は、美濃の守護、土岐頼清の次男である頼兼が一三四三年頃に開城し、光秀は生まれてから落城するまでの約三〇年間を過ごしたといわれている。主郭とされている地点は現在、配水池となっており旧状をとどめていない。もしも明智城跡を訪れる機会があれば、その北側に位置する天龍寺にも足を運んでいただきたい。境内には明智氏歴代の墓所が整備され、毎年六月には光秀供養祭が執り行われている。本堂には光秀の等身大で作られたという位牌が収められている。

一方、岐阜県の東側に明智という名の町がある。二〇〇四年に合併し恵那市明智町となったが、一二四七年に築城された「明知城」がある。この地は古来「明智」と称していたが、本能寺の変を境に裏切り者一族の追求を恐れて、江戸時代以降「明知」と改称。昭和の合併時に現在の「明智町」に戻したとされ、このような経緯から光秀の生誕を恵那市と主張する向きもある。

本大河ドラマでは光秀の生涯を大きく四期に分けている。一期：美濃時代一五二八年の生誕より一五五六年の長良川の戦いまで。二期：諸国武者修行・越前朝倉氏時代一五五六年から信長が稲葉山城に入城し岐阜と命名するまで。三期：一五六七年から信長が足利義昭を奉じて上洛する翌六八年まで。そして四期：歴史の表舞台へ立ち、一五八二年の本能寺の変、山崎の合戦まで。

県都岐阜市も、このブームに乗るべく道三・信長ゆかりの岐阜城跡の発掘調査を進めている。岐阜城への来場者数は昨年二三万人であったが、過去、岐阜が関連する大河ドラマの放映年には来場者が大幅に増加している。昭和四十八年に放映された司馬遼太郎原作「国盗り物語」主演：平幹二朗（斎藤道三役）、高橋英樹（織田信長役）、近藤正臣（明智光秀役）では来場者数四二万人。そして平成四年放映の「信長　KING OF ZIPANGU」主演：緒方直人（信長役）、菊池桃子（帰蝶役）、マイケル富岡（光秀役）では来場者が四三万人を超えた。

今回、道三の娘・帰蝶（濃姫）役を演じる女優の逮捕、そして撮り直しによる初回放映日の二週間遅れなど場外での話題も尽きないが、わが美濃国は戦国史の宝庫。ぜひとも足をお運びいただきたい。

2019年12月23日

麒麟が始まった!

前項で、一月十九日(二〇二〇年)にスタートしたNHK大河ドラマ「麒麟がくる」を取り上げて、謎の多い明智光秀の生い立ちや、美濃国こと岐阜県との関わりについて可児市、恵那市、そして県都岐阜市を中心に執筆したところ、「うちの街をスルーしないで」との声が上がった。そこで今回は、土岐市を中心にご紹介したい。

岐阜というと、東海道新幹線で名古屋から京都の途中なので愛知県の西側、あるいは飛騨高山地方をイメージして愛知県の北側と思う方も少なくないと思うが、土岐市は名古屋市から見るとむしろ北東に位置し、岐阜県全体の形を埴輪に喩えると、ちょうど埴輪の左足部分にあたる。JR土岐市駅までは、名古屋駅から中央本線で約四五分。土岐市の南端には標高七〇一mの三国山があり、愛知県瀬戸市、そして豊田市との三国境を成している。

光秀の前半生は謎も多いが、土岐明智氏の出身であることは間違いないようだ。光秀の正室であった熙子(ひろこ)は、土岐市の南部、妻木城(つまぎじょう)を拠点とした妻木氏の娘であった。妻木城は十四世紀に、美濃守護土岐頼貞の孫にあたる土岐明智彦九郎頼重(明智頼重)が築いたとされる。現在は城跡と、その北側に妻木城士屋敷跡が残されている。

光秀と熙子の夫婦愛については、いくつか語り継がれているものがあり、おそらく大河ドラマの中でも描かれてゆくであろう。光秀が浪人中の貧しい時期に、連歌の会を催すため、熙子は女性の命と言われた長い黒髪を売ってその費用を捻出し、光秀は面目を保った。このことを後に松尾芭蕉が、門弟である又玄宅を訪れた際に、貧しいながらも夫婦の心づくしのもてなしを受けたことに対して、「月さびよ　明智が妻の　咄しせむ」と詠んだことでも有名である。

さて、土岐市は古くから良質な土に恵まれ、この土地に住む人々によって美濃焼という伝統工芸が受け継がれてきた。約千三百年前の飛鳥時代に須恵器と呼ばれる陶質の土器が焼かれたことが美濃焼文化の始まりとされる。安土桃山時代になると自由な造形、大胆かつ繊細な絵付けなど個性豊かな「美濃桃山陶」が生まれた。戦国時代の武将で茶人でもあった古田織部（古田重然）が好んだことから「織部焼」とも呼ばれるようになった。市内には現在も二〇〇を超える大小さまざまな窯元が立ち並ぶ。

朝日大学を訪れる海外からの客人ご夫妻を窯元へと案内すると、土から生産工程までとにかく興味津々。それぞれのオーナーの説明を聞いた後に、所狭しと並ぶティーカップからお猪口、お皿、花器まで、実際に手に取ってとても喜んでいただける。彼らには、ハンドメイド感がよく伝わる。

毎年、五月の連休には「土岐美濃焼まつり」、「春の美濃焼伝統工芸品まつり」といったイベントが開催され、多くの観光客が窯元めぐりを楽しむ。まずは「麒麟がくる」を視ていただき、その後、新緑まぶしい季節に是非、美濃路を歩いて戦国武将の夢の跡を辿っていただきたい。

2020年1月27日

窯元をめぐる米国・タフツ大学前歯学部長ご夫妻

忘れ物

本学と姉妹校関係にある明海大学が、ハワイ大学マノア校と二〇〇七年より学生間の交流を継続し、この度、両校が包括的連携協定を締結するとのことで、明海大の法人役員として調印式に参加した。朝日大学の教職員には、明海大の案件で米国出張と伝えたが、あっという間に「ホノルルへ行かれるそうですね」、「雨季も終わっていい季節ですね」と冷たい視線。ハワイというと、どうも仕事感が出しにくい。

さて、二〇一九年より全日空がホノルル線にエアバスA380型を投入したため、同行予定の役員(以下、A氏としよう)の強い希望もあって、羽田ではなく、あえて成田発着の便を選んだ。充実の二階建てに五二〇席を確保。またカウチシートと呼ばれる三席もしくは四席分のレッグレストを上げて、ベッドのように利用のできるシートを日本初導入。これまで米国産機に飼い慣らされてきたわれわれにとっては、期待(機体?)に夢膨らむ旅(出張?)となった。

成田二〇時三五分発で、A氏とともに都内を一七時に出発。空港到着後、岐阜から宅配便で送った荷物をピックアップしたりして、出発カウンターに着いたのは一八時四五分であった。月曜日夜、また新型コロナウイルスが流行し始めたこともあってか、空港内はやや閑散としていた。

「ご一緒ですか？　こちらへどうぞ」とグランドスタッフに声をかけられ、A氏と同時にチェックインした。お互いネットで航空券を予約していた。筆者には、事前のオンラインチェックインの案内などが電子メールでこまめに届いたが、なぜかA氏にはそのような案内は無かったと。私の担当は見た目、中堅の職員で手際よく発券手続きを進めてくれた。しかしA氏を担当した若手職員の方は、なかなか手続きが進まない。

「もう一度、パスポートを確認させてください」若手職員は手元の端末とは別に、iPadを取り出して何かを説明している。若手職員が私に近づいて来て、「Aさんは今日、出発できないかもしれません。同じ便で乗れない場合、大友様はどうされますか？」と尋ねてきた。「えっ？」隣のカウンターを覗き込むと、何とESTA（エスタ、電子渡航認証システム）の有効期限が切れていたのだ。これから米国大使館の公式サイトから申請するという。

A氏は自分の携帯電話を握りしめ、若手職員はiPadで大使館のサイトを確認し合う。手続きは数ページにわたり、質問項目も多い。私はバッグから自分のノートブックパソコンを広げて、入力画面を開いてA氏に手渡した。すべて英語表記によるやりとりが続き、事態に気づいてからクレジットカード情報の入力までに約一五分を要し、一九時二〇分には手続きを完了した。これで〇

Kかと思いきや、申請中という画面に切り替わった。若手職員曰く「早い時は二〇分ほどで認証がおりますが、アクセスが集中する時期は二時間以上かかる時も」と。「こんなお客さん、いるんですか？」「ええ。ＥＳＴＡの有効期限は基本的に二年間です。期限切れのお客様が、今日一日でも四名ほどおられました」ということで、結構、日常茶飯事らしい。

早ければ一九時四〇分に認証されることを祈り、「これが別れの杯か」と言いながら二人で軽めの夕食を摂る。この間もＡ氏は、携帯電話から進捗状況を確認。私は自分の携帯で「ＥＳＴＡ申請　忘れた」と検索してみると出るわ、出るわ、そこには恐怖体験の数々が。その多くが「予定の便に乗れなかった」と。

結局、搭乗手続き開始時刻までに認証は下りず、Ａ氏とは成田空港で別れた。それから二〇分後に認証が下りて、すぐにＡ氏は一時間遅れの全日空便に振り替えた。ただし使用機材は、氏が熱望したエアバスではなく、ボーイング７７７型であった。われわれはホノルル空港で再会を果たしたが、読者の皆さんも、渡米の際にはどうぞお気を付けて。また時間に余裕をもって空港へお越しください。

２０２０年２月24日

いっぺーまーさん（おいしい！）

去る二月某日（二〇二〇年）、在学生の保護者会と新入学予定者を対象とした入学前説明会を、沖縄県那覇市で開催した。例年になく暖かい日であったが、新型コロナウイルスの影響で海外からの観光客が激減し、国際通り周辺も閑散としていた。

私ども朝日大学は、同県から毎年三〇名ほどの学生を受け入れている。前身の岐阜歯科大学の創立が一九七一年なので、歯科大時代の一、二回生は施政権返還前の入学ということになるが、以来、多くの卒業生を輩出してきた。昨年（二〇一九年）には、歯科大時代の一回生で那覇市内において歯科医院を開業する屋宜優先生が、多年にわたって同県の歯科医療の充実・発展に寄与してきた功績が高く評価され、春の叙勲を受けられたことは大学にとっても名誉なことである。

そんな沖縄の歴史と文化探訪を自分のテーマに据えてはや十年が経過した。多くの学生を受け入れる以上は、学長としてその地域について深く知ろう、というささやかな動機からであった。フィールドワークを通じてご縁をいただいた故大田昌秀元県知事や琉球大学我部政明教授には、学生講義のために度々、岐阜へ足をお運びいただいた。元ひめゆり学徒隊の生存者で、ひめゆり平和祈念資料館館長を務められた宮良ルリ先生と那覇市内で会食した際に拝聴した戦争体験は、今も昨日のことのように思い出される。

さて、今回の驚き発見はコンビニでのおにぎり。セブン-イレブンでもローソンでも、いわゆる「ポーク玉子」が棚の一丁目一番地に並んでいる。アメリカの食文化は、沖縄料理に大きな影響を与えたと言われるが、その歴史は戦中・戦後に米軍が食料や衣類を無償で支給したことに遡る。配給食料品、戦闘部隊の余剰物資で、米、トウモロコシ、豆などのほか、ポークランチョンミート、コーンビーフの缶詰やバター、チーズなど、当時、沖縄のほとんどの人が初めて口にするものばかりだった。

貧しい暮らしを強いられてきた人々にとって米軍がもたらした食料は新鮮な驚きと魅力でいっぱいであったと聞く。この時の経験は、沖縄の現在の食卓でもっともポピュラーとなった「ポーク玉子」のメニューに象徴される。このポークとオムレツを米飯で包み、海苔で巻いたおにぎりが、内地から来たわれわれを喜ばせる。

ベーシックなポーク玉子おにぎりを中心に、右手からポーク玉子油みそ、ポーク玉子チキナーと並ぶ。「チキナーって何ですか?」コンビニのお兄さん曰く「からし菜を塩漬けにしたもの。きざんでさっと油で炒めて、豆腐なんかと一緒にチャンプルーにしてもおいしいですよ」と。高菜をイメージすると分かりやすい。そして左手にはポーク玉子シーチキンマヨネーズ。筆者は、ついついこのハイ・カロリーに惹かれて禁断の一品二二七円を口にしてしまった。内地で食べるシーチキンマヨネーズおにぎりの美味しさを裏切らず。以前はいわゆるおむすび型の三角形であったが、今回はやや大きめの長方形。薄めにしたシーチキンマヨの塩分をポークで補う食感に超納得。

　おにぎりの下段には「うちなー弁当　鶏南蛮」、「うちなーミックス弁当」が並ぶ。またレジの隣のショーケースには沖縄限定商品と称して「ドラム：噛めば肉汁あふれる人気の部位。たくさん食べれる素揚げタイプ」（注：ら抜き表記）、「サイ：骨まわりの旨みあふれる肉感たっぷりな部位（腰）を薄衣で揚げました。やみつきになるおいしさです」と、チキン揚げ物のオンパレード。筆者はこの出張で体重を二kg増やした。

2020年3月23日

コンビニに並ぶポーク玉子おにぎり

水とともに生きる

今年(二〇二〇年)の梅雨は本当に長かった。例年であれば七月半ばにもなると「梅雨明け宣言」が待ち遠しくなるが、今年は七月三日から三十一日までの間、集中豪雨により各地で水害が発生した。後にこれは「令和二年七月豪雨」と命名される。

九州では特に熊本県球磨川流域で多くの箇所が氾濫し、同県内で六十余名の命が奪われたが、ここ美濃の地でも、白川茶で有名なJR高山線白川口駅付近で氾濫が発生した。蛇行しながら南へと流れる木曽川水系の飛騨川に、支流である白川がY字の形で合流する。飛騨川の流量が急増したことで、バックウォーター現象が発生し、この地点から白川の上流に向けて溢水(いっすい)した。

梅雨が明けると急に厳しい暑さが列島を襲った。筆者が子どもの頃は「夕立ち」などと呼んでいたが、今年は夕方だけでなく、午前中でも突然の雷雨が襲ってきた。時間一〇〇ミリの豪雨や記録的短時間大雨情報が全国各地を駆け巡った。その後は超大型の台風が相次いで発生。気象庁の中本能久(なかもとよしひさ)予報課長が、防災服を身にまとい、メガネとマスク姿で汗をかきながら、昼夜を問わず積極的な避難行動を促したことで、国民の多くが危機意識を共有できた。

戦後に中部地方を襲った豪雨として昭和三十四年の伊勢湾台風が有名である。九月二十六日に上陸し、愛知・三重県に甚大な被害を及ぼした。一方、我が朝日大学にとっては昭和五十一年の九・一二水害が挙げられる。九月四日に発生した台風一七号は、沖縄本島の東側を北上し、十二日の時点では鹿児島の西の海上を北北東に進み、その後長崎県に上陸。福岡県を通り、日本海へと抜けた。

台風の北進に伴い停滞していた前線が刺激され、七日、すなわち台風の上陸前から大雨が始まり、翌八日から十四日にかけて長良川上流の降雨量は各地で千ミリを超えた。流域では、昭和三十四年から三十六年の三年間連続して大規模な降雨や洪水を経験したが、一日あるいは二日間の最大雨量や総雨量は、いずれも過去の出水量をはるかに超えた。

水防活動は木曽三川(東から木曽川、長良川、揖斐川)の各所で活発に行われ、延べ一万三千人以上が出動した。しかし十二日午前十時二十八分、朝日大学から南へ七キロ下がった安八町大森において長良川西側堤防が五〇mにわたって決壊。流れ込んだ水は瞬く間に広がり、西側の揖斐川堤防にかけて氾濫水位は高いところで八m以上に達した。

昭和四十六年に岐阜歯科大学として開学した本学では、一回生が最終学年の六年に達し、第一回の卒業試験の直前だった。大学キャンパスは胸の高さまで水につかり、周辺で下宿していた学生は、二階以上の部屋に住んでいる友人宅へ避難。泳いだり、手作り筏（いかだ）で移動したりといった生活で、自衛隊による日の丸弁当の配給に助けられたとも聞く。

今年度の大河ドラマ「麒麟がくる」で明智光秀が馬にのって駆け抜ける濃尾平野は東西四〇km、南北五〇kmに広がり、「飛山濃水（ひざんのうすい）」と呼ばれる美濃の国の力の源泉となっている。肥沃な土地であったが、度重なる水害に苦しんだ。一六〇八年、徳川は木曽川の東側に強固な連続堤「御囲堤（おかこいづつみ）」を作り、尾張（現在の名古屋）を守った。以後、堤防と呼ばれる類いのものは基本的に東高西低。「美濃の諸堤は三尺低かるべし。尾張の修復が先……」とも言われた。国土の四分の三が山地を占める我が国にとって治山治水は永遠の課題といえる。自然との共生のため、老朽化したインフラの総点検が急がれる。

2020年9月28日

お受験

筆者は高校までの一二年間を、東京の吉祥寺にある成蹊学園で過ごした。両親は何を思ったのか、親類縁者が誰も通っていなかった成蹊小学校に入学させた。

幼稚園は高円寺にある光塩女子学院の附属に通っていた。子どもの頃から頭のサイズが大きかったため制服として決められていた紺のベレー帽が嫌いで、いつもフリスビーのように投げていた。光塩は小学校から女子校になるので、男子の何名かは、いわゆる「小学校お受験」の道を進むことになる。五、六歳の時の記憶などそれほど確かなものではなく、おそらくその後、両親から聞かされた苦労話によって上書きをされたものであろう。それでも、その記憶を辿ってみる。

通学は路線バス利用であった。雨が降ると、自家用車で通勤していた父が幼稚園まで送ってくれるのが嬉しかった。しかし年長になると、昼前には母が園門の前まで迎えに来た。「皆遊んでいるのに、なぜ自分だけ帰らねばならないのだろう」と不満いっぱい。手を引かれて幼稚園の裏に待機させたタクシーに乗り込むと、母が作った玉子サンドをほおばる。西荻窪にある塾までの道程、車内では午後から始まる塾の復習が始まった。食後にもかかわらず、あれやこれや言われると、三半規管が未発達なこともあって必ず車酔いする。昔のタクシーは内装の接着剤、はたまたプロパンガスからくるものなのか、車内は独特の臭いがした。中学生になってもその臭いを嗅ぐと「お受験」を思い出した。

塾での学習は、動物の絵を描いたり、書かれた線をなぞったり、折り紙をちぎって並べたり、紐を穴に通したり。反復繰り返しにより、ある程度のレベルまではできるようになる課題が多かった。およそ三〇年の月日を経て、愚息たちの「お受験」の面倒を見ていると、幼児教育の基礎・基本はあまり変わっていないと感じた。

筆者が通っていた塾の先生は厳しかった。ペーパーと呼ばれる筆記試験はあまり苦にしなかったが、脱いだ靴の並べ方、お辞儀や挨拶の仕方に始まり、エンピツやクレヨンの並べ方、片づけ方に至るまで、事細かく指導された。塾から帰宅すると、今日一日の学習の中で、できなかったことを中心に復習、類似問題を解くなど、母との闘いは夕食後まで続いた。

じっと座っていられない、貧乏ゆすりをするいわゆる「落ち着きのない子」だと言われた。違う幼稚園に通うAと友だちになり、塾の先生の目を盗んでは互いにちょっかいを出し合った。出願の時期になると母たちが呼ばれ「試験会場で遊んでしまわぬよう受験番号をなるべく離すように。大友さんは願書が受付初日に届くよう。Aさんは受付最終日に届くように投函して」と指示された。地理的にも成蹊を目指す子どもが多い塾で、入学後に見渡してみると、同じ塾出身者が一〇名ほど。その中にAもいた。作戦成功である。

小学校お受験は子どもの努力より親の努力の賜物とも言われるが、筆者自身も同感である。「子ども」としては、親や塾の先生からの調教を受け入れ、反復繰り返しの学習を通じて、求められる一定のスキルを身につけることで合格に近づく。当然、親も喜んでくれる。振り返ると携帯電話やコンビニ、インターネットもなかった時代に、親も東奔西走して情報を集め、タクシーを捕まえて、よくぞ難関小学校に押し込んでくれたと思う。今年もその季節がやってきた。晴れ渡る空の下で今日もお受験の親子が走る。来年の桜を夢見てがんばれ。

2021年12月13日

私の新幹線ライフ

岐阜での単身生活もこの春（二〇二二年）で二十四年目を迎えた。この間、東京の自宅との往来に何度、新幹線を利用したであろう。分割民営化をして独り勝ちのＪＲ東海の大黒柱である東海道新幹線による東京ー名古屋間の移動。本稿では、筆者の新幹線ライフを紹介したい。

学長職に就いてからはグリーン車による移動と決めた。生来の気の弱さからか、隣に座る他人様との肘掛けの取り合いにはいつも負ける。特に普通車の三列シートの真ん中などに座ろうものなら、およそ一時間半の間、両脇をしめてじっと我慢。右隣の人の顔をちらっと見ると、怖そうな顔をして右肘を肘掛けに置いている。次に左隣の人を横目で見ると、目をつぶったまま同様に左肘で肘掛けを独占している。ならば真ん中に座った筆者が両側の肘掛けを使っても良いはず。と、頭では理解していても身体が動かない。もしも通路側の人が寝入ってしまったら「トイレに行きたい」とも言い出せず、幼少期の頃からの持病である「閉所恐怖症」感も出てくる。

グリーン車輌は八、九、一〇号車である。新幹線の券売機は、画面上で座席を選べるが、自ら選択しないとまずは八号車から割り振られる。そのためグリーン車の中で最も混むのが八号車になる。一〇号車は禁煙だが、後ろ半分は喫煙ルーム付近にあり、最も空いている。そこで筆者は、スマートフォン(以下スマホ)のEX予約を用いて常に一〇号車の前半分を、しかも可能な限り前後が空いている席を指定するようにしている。前後を気にせずに座席をリクライニングできるから。

また、富士山が見える側、グリーン車でいえばD席から指定が埋まっていく傾向がある。そのため筆者は、その反対側であるA席を取るようにしている。好天の午前中など、三島駅から新富士駅の間で「ただいま右手に富士山が見えます」と車内アナウンスが入る。すると途端にあちこちからスマホのシャッター音が鳴り響く。何と平和な風景だろう、と高みの見物をしつつも筆者もやはり日本人である。通路の向こうの車窓から富士山がくっきり見えると、今日一日幸せな気分に包まれる。

窓側に座りたい人が八割というデータもあるが、強いて弱点を挙げると、窓を通じて外気が伝わってくる。筆者は寒がりなので、冬場は座った途端にブラインドを降ろすことにしている。夏場も同様に下げることで、冷房効果を上げることができる。前後に誰も座っていなければ、身を乗り出して前後のブラインドも下げることで、体感で二、三度は違う感じ。

グリーン車の座席は一七列。左右の窓側は計三四席。全員が窓側を選んだとすると、三五人目の人は通路側の席となる。その三五人目が、たまたま自分の隣の席に来ると急に悲しい気持ちになる。新横浜駅から名古屋駅間、のぞみ号は乗り降りなしの区間なので、トイレに立つふりをして、どこかに二席連続で空いている席がないか探し歩く。乗り遅れた人の席であろうか。空席を見つけると速攻、荷物を移して車掌に交渉。以前はアナログだったが、今は券売状況が携帯端末で確認できるため、車掌も「この席は名古屋まで空いていますよ」とすぐに対応してくれる。

子どもの頃は「線路は続くよ」と歌ったが、この新幹線ライフ。どこまで続くことやら。などと本稿を書いていたら、ちょうど三河安城駅を通過。そろそろ名古屋駅だ。

２０２２年４月25日

最近の出張事情

ヴィズ・コロナの新しい生活様式も定着してきた。今回は直近の出張事情について紹介する。

四月の某日曜日(二〇二二年)。大学が所在する岐阜の開業医ご夫妻の誘いで会食に参加した。翌月曜からの予定は、朝十時半より代々木にある本学東京事務所で開催される本学法人の会議に出席。昼食をはさんで十三時より常務理事会。十五時半には事務所を出て、羽田発十六時五十分の飛行機で鹿児島空港へ移動。十九時半より薩摩川内市の関係者との会食。翌火曜日には同市と朝日大学との間で官学連携協定を、田中良二市長との間で取り交わすことになっている。ところが、日曜の会食が予想以上に盛り上がり、その日のうちに東京へ移動できなくなってしまった。予定は未定だが、開業医の奥様を盛り上げていたのはほかでもないこの私だったので、自業自得ともいえる。

千鳥足で岐阜の自宅へ戻り、翌朝からの予定を再度確認した。火曜日の協定締結後は、九州新幹線で川内駅から広島駅へと移動。広島駅前のホテルに泊まって、翌朝、岐阜から来た別の部隊と合流し、広島市内の二つの高校を訪問。岐阜へ戻るのは水曜日の夜になる。ところで。火曜日は鹿児島、水曜日は広島なのに、日本列島の中心、岐阜にいる私がなぜ明朝に東京へ行かねばならないのだろう……としばし考え込む。

酔いが醒め始めると頭が回り出した。そうだ。月曜日の会議はウェブ会議システムであるZoom参加に切り換えよう。ヤフーのアプリ「乗換案内」で検索するも、月曜日早朝に岐阜を出て、十時半の会議開始までに薩摩川内市内に到着するのは不可能。二つの会議は学長として発言の機会も多く、何処ぞのコーヒーショップで、あるいは移動する新幹線の中からZoomというわけにもいかない。鹿児島空港や福岡空港のラウンジも検索したが、十時半から十五時までの間、居心地の良い個室空間を提供してくれる場所が見つからない。

ネットで個室スペースの検索を続けると、最近の検索サイトは賢く、私が求めているものを次々に提示してくれる。そこで見つけたのが博多駅筑紫口前のシェアスペース。ビジネスホテルの数室をワークスペースと称して提供している。時間単価は八〇〇円程度。五時間の利用で四〇〇〇円ほど。早速、ネット上で申し込み、クレジットカードで事前支払いを完了。続いて羽田―鹿児島便をキャンセルした。

ここまでの作業をしているうちに午前様を迎えた。予約サイト上でホテル内の特定の部屋番号を指定されたが、「ホテルのフロントでは問い合わせなど一切受け付けておりません」と。予約を受けた業者が、ホテル側から数部屋を一括で借り上げているようだ。さて、どうやって鍵の受け渡しをするのだろう。不安になっているとすぐに電子メールが届き、「ＬＩＮＥ登録をお願いします」と。メールではだめなのか？　と思いつつも指示に従って登録。すると「予約を登録しました。予約時間の十五分前からメニューより鍵が開けられるようになります」というメッセージが届いた。応答のスピードの速さから自動的に回答する会話型システム、いわゆるチャットボットが使われているようだ。

結局、月曜日の朝五時半に岐阜の自宅を出て、九時半過ぎに博多駅に到着。ビジネスホテルの五階へ上がると、ＬＩＮＥに「解錠」の指示が届き、指定の部屋の前でＬＩＮＥ上の指定のボタンを押すと自動解錠した。ネットで申し込み、スマホで鍵を開けるなど便利な時代になったが、こうやって自動化が進むことで、人がやってきた仕事が確実に減っている。

２０２２年５月９日

PART 3

スポーツの心を育む

聖火ランナーとして高山市を走る

がんばれ！ 大坂なおみ選手

九月八日（二〇一八年）に開催された全米オープンテニスの女子シングルス決勝で、大坂なおみ選手が、元世界ランキング一位のセリーナ・ウィリアムズ選手にストレート勝ちという快挙を遂げた。全豪、全仏、全英と並ぶ四大大会の一つを日本人選手が初制覇した。彼女のパワフルなプレー・スタイルは以前より注目されていたが、それに加えてコート外でのチャーミングな言動、片言の日本語と英語混じりのスピーチは、国境を越えてファンを魅了する。

筆者は十数年前に協会関係者から頼まれ、岐阜県テニス協会の会長を務めている。同協会は一年間を通じて、さまざまな大会を主催しているが、中でも四月末から五月連休にかけて地元西濃運輸株式会社の特別協賛のもとで、カンガルーカップ国際女子オープンテニス大会を主管している。大会自体は一九九〇年にスタートし、九七年より国際テニス連盟公認の国際大会へ昇格。ＷＴＡと呼ばれる女子のプロテニストーナメントの下部大会群に位置するＩＴＦ女子サーキットに属する大会で、本年度の賞金総額は八万ドルであった。

テニスの国際大会は一年を通じてほぼ毎週、世界各地で複数開催されている。選手はコートの種類、気候や時差、また大会主催者が提供するホスピタリティ等を入念にチェックしてくるが、四月末の岐阜は天候的には安定し、かつ湿度もそれほど高くないため国内外から多くのエントリーがある。特に日本人選手は、その翌週、翌々週に開催される福岡市、久留米市の六万ドル大会と三連続出場することで、全仏大会に向けた国際ポイントを稼ぐことができる。

大会を主催する側としては、やはり質の高い試合を期待する。カンガルーカップには通常、世界ランキング七〇位から二〇〇位程度の選手がエントリーしてくるが、過去の大会を振り返るとセルビア出身のアナ・イバノビッチ選手、チェコ出身のカロリナ・プリスコバ選手が、それぞれデビューの翌年に本大会で優勝を果たし、その後、階段を駆け上がり、世界ランキング一位へと上り詰めた。国内選手に目を向けると、杉山愛選手が森田あゆみ選手とダブルスを組んで北京五輪を目指してスタートを切ったのも、あの伊達公子選手が三十七歳で現役復帰を果たし、予選から勝ち上がりいきなり準優勝を果たしたのもこの大会である。

大坂なおみ選手が、姉のまり選手とカンガルーカップに初めて出場したのは二〇一四年のことだった。まり選手は予選一回戦で敗退。すでに姉よりも頭角を現していたなおみ選手はワイルドカードで本戦から出場。一回戦で競り負けた。当時十六歳ということで、大会関係者も大坂姉妹に注目していた。いわゆる日本の高校生を想像していたが、名前とルックスのギャップに驚いた。つきっきりで娘の指導にあたっていたハイチ出身のお父様の熱心さも心に残った。

負けて岐阜を離れる際に「来年も是非エントリーしてください」と声をかけた。すると翌年、肩の筋肉が一回り大きくなって、なおみ選手は再び岐阜へ戻ってきた。本戦から順調に勝ち上がり、決勝で中国出身の第一シードのゼン・サイサイ選手と対戦。六―三、五―七、四―六で残念ながら準優勝に終わった。

テニスの表彰式は試合終了直後、コート上の熱気の冷めないうちに開かれる。筆者は大会主催者としてなおみ選手に英語で声をかけたが、日本語で返事が返ってきて、かつ応答がとてもさっぱりしていて、あまり敗北を引きずらないタイプのように見えた。あれからたった三年。さらに成長して、世界の頂点へと上り詰めたなおみ選手。とにかくまだ若い。東京五輪を含めてこれからの活躍に大いに期待したい。

2018年10月22日

レインボーネーション　南アフリカの魅力

今回は南アフリカ共和国の魅力についてご紹介したい。「日本人も最近、ワインをよく飲むと聞くが、ニューワールドではどこのワインがポピュラーか？」南アで訪れたワイナリーのオーナーから、こんな質問を受けた。ご存じのようにワインは古来、ヨーロッパ大陸で造られてきた。これに対して、ヨーロッパ以外で造られた新しいワインを「ニューワールド」と呼ぶ。筆者がよく訪れる新宿の格安酒類小売ストアの棚を覗いても、アメリカ、オーストラリア、ニュージーランド、チリ産あたりのワインがずらりと並ぶ。これらにアルゼンチンを加えて答えたところ、「ニューワールドといえば、南アフリカだろう」と返された。

南アのワイン造りの歴史は古く、一六五二年オランダ東インド会社のヤン・ファン・リーベックが上陸し、喜望峰を海上交通の要衝ととらえ、現在のケープタウンに入植したことに始まる。ケープタウンから東へおよそ五〇㎞の位置に広がる穏やかな山並みと渓谷地帯にオランダ人が進出し、ステレンボッシュという都市を造った。大西洋からの風を受け、太陽が光輝く地中海性気候であったことからヨーロッパよりブドウの苗木を持ち込み、ワイン造りを始めた。およそ三五〇年前のことである。現在はステレンボッシュを中心に、北東のパール地区、東側のフランシュフック地区を「ワインランド」と呼び、ワイナリー、そして多くのレストランやホテルが立ち並ぶ。

南アで特徴的なワインは、白であればシュナン・ブラン。原産はフランスのブドウだが、南アで広く栽培されている。世界的にはシャルドネが有名だが、南アのシュナン・ブランはかなりの安価でシャルドネを上回る味わいを創り出している。

赤では、ピノタージュをお薦めしたい。一九二〇年代、地元のステレンボッシュ大学のペロルド教授によりピノノワールとサンソーの交配によって創られた。その名称が似ていることからピノノワールのイメージで飲むと、かなり重く渋みもあり、肉料理によく合う。こちらも、日本でよく流通しているカベルネソーヴィニヨンに負けず、かつかなりの安価で懐に優しい。

さて、そのステレンボッシュ大学だが、一八六六年の創立で、九千名超の大学院生を含む二万六千余名の学生数、約二千五百の教職員を擁し、大学自体が、この街の中心的役割を果たしている。教育学部、経済・経営学部、法学部をはじめとする一〇の学部を置き、中でもワイン醸造を学べる農学部、そして電気工学系の研究所を有する。同大学の国際交流担当者の話では、広く海外から留学生を受け入れているが、日本人はほとんどいない、と。

スポーツは特にラグビーに力を入れており、数千名を収容する観客席付きのメインスタジアムの他、天然芝グラウンドを六面有しており、週末になると南ア全土からラガーマンが集まり、互いに試合や練習を繰り返しているという。メインスタジアムの下にはロッカールームのほか、アフターマッチファンクションを行う英国パブ風のミーティングルームが完備され、室内には一八〇〇年代からの同大学の歴代チームの集合写真が飾られ、伝統の重さを感じる。わが国のトップリーグで活躍する南ア・ラグビー選手の多くが、ステレンボッシュ大学の出身、あるいは同校のグラウンドで研鑽を積んだ経験を持つ。

来る九月二十日にはラグビーワールドカップ2019大会が開幕する。翌二十一日には、予選プールで南アと強豪ニュージーランドが激突する。世界最高峰の戦いを、ワインを傾けながら楽しみたい。

2019年9月9日

伝説のラグビープレイヤー・チェスター ウィリアムズ氏(中央)とともにASARAワイナリーにて

追悼　チェスター・ウィリアムズ

南アフリカ共和国の伝説のラグビープレーヤー、チェスター・ウィリアムズ氏が、去る九月六日（二〇一九年）、心臓発作でこの世を去った。享年四十九歳であった。奇しくも、日本代表が南ア代表「スプリングボクス」を熊谷市に迎えてテストマッチに臨んだ日のことだった。

ラグビーワールドカップは一九八七年に始まったが、南アは人種差別政策「アパルトヘイト」が国際的批判を浴び、第二回大会まで出場がかなわなかった。一九九四年、第八代大統領に就任したネルソン・マンデラ氏は、アパルトヘイトを撤廃し、翌年の第三回大会を招致した。

これを映画化したのが「インビクタス」（クリント・イーストウッド監督）だが、大統領は長きにわたって分断されていた国民をラグビーで一つにまとめることに注力し、結果的に非白人選手（黒人ではなくカラード）として初めて代表選手に選ばれ、第三回大会で活躍したのがチェスターであった。

「マディバ（大統領の愛称）はここに座ったんだ」テーブルマウンテンを望む自宅に招いてくれたチェスターは、いたずらそうな目をして壁の写真を指し示した。第三回大会は、自国開催で南アが初優勝を手にした。しかしチェスターから聞いた実情は映画以上に厳しいものだった。足が速く、ポジションはウィングだったが、「ここぞトライ」という場面では、自分にボールを回してくれない。人種差別撤廃後も多くの白人が彼の活躍を面白くないと思っていた。その後、同国ではラグビーだけでなく、集団スポーツにおける黒人選手比率を法律で定めることとなった。

二〇一四年には朝日大学に来て、ラグビークリニックを開催した。基本練習を繰り返し、グラウンドでは笑顔を絶やさない姿が印象的だった。「自分はレジェンドと呼ばれている。日本のスポーツ・レジェンドといえば？」と聞かれ、長嶋茂雄氏と答えたところ、「滞在中にナガシマに会えないか？」と。「さすがに今日の明日では無理だ」と返した。もちろん来月でも無理。しかし自らレジェンドと名乗るなんて……と思ったが、初めて南アを訪れた時、その疑念は完全に吹き飛んだ。

滞在中のホテルでは、フロントに座る白人、ドアボーイの黒人、いずれにも何となく冷遇された。三日目にチェスターが迎えに来てくれて、抱き合って再会を喜んだ。するとどうだろう、ホテルのスタッフが皆立ち上がり、「チェスターだ！」と騒いでいる。以後、彼らのわれわれに対する態度が一変した。在日本南ア大使の紹介で初めてウェスタンケープ大学を訪問した際にも、チェスターが先頭を歩いて案内してくれた。警備員も、大学病院の患者も、大学スタッフも皆「チェスター！」と歓喜に沸いていた。

初対面だった同大学歯学部長に、チェスターは「私の友人だ」と言って、まず朝日大学について説明してくれた。その後に訪れたワイナリーや、プロゴルファーであるアーニー・エルス氏が経営するレストラン「Big Easy」でも、現地のスタッフが皆、日本人であるわれわれに対して「チェスターの友人か？」と聞いてきた。

二〇一九年五月に南アを再訪したところ、チェスターが同大学ラグビー部の監督に就任していた。ワールドカップに合わせて来日するということで、亡くなる前日まで「十月二日に東京で夕食でも」と連絡を取り合っていた。

今回のワールドカップでは唯一の南ア産ビールとして「チェスターズＩＰＡ」が売られる。在りし日のチェスターに思いを馳せて、是非、会場でビールを楽しみたい。

2019年9月23日

マンデラ大統領とウィリアムズ家族

ウェスタンケープ大学にて

ラグビーワールドカップ　観てますか？

去る九月二十日（二〇一九年）、ラグビーワールドカップ（ＷＣ）２０１９日本大会が開幕した。わが国におけるラグビー競技に対する認知度から、当初、チケットセールスをはじめとして、大会全体の盛り上がりを危惧する声も聞かれたが、「四年に一度じゃない。一生に一度だ」というキャッチコピー、また開幕時期に合わせて、日曜劇場では鉄板となった池井戸潤氏を原作者に迎えたテレビドラマ「ノーサイド・ゲーム」が高視聴率を上げたことなども奏功し、各地で盛り上がりを見せている。

学長が経験者ということもあってか、朝日大学はラグビー部の強化に力を注いでいる（すべての強化クラブに対して公平に接しているつもりではあるが）。現在、所属する東海リーグでは古豪・中京大、名城大さんらを抑えて九連覇中。ここ数年は、全国大学選手権大会にもコマを進めている。

大学の強みをどう地域社会に還元するか、そんなことばかり考えている小職は、ラグビーＷＣへの機運を高めることを目的として、昨年（二〇一八年）一月、県有施設を利用して、朝日大学公開講座「南アフリカの夕べ」という企画を展開した。大統領に就任したネルソン・マンデラ氏が、アパルトヘイトによって分断されていた国を一つにまとめるためにラグビーWCを誘致し、初優勝へと導く軌跡を描いた映画「インビクタス」の上映を中心に、ロビーには南アフリカ観光局の協力を得て、同国の大自然や民族、音楽を紹介する動画を流し、また南ア産ワインの試飲と即売会を併催。在日本南ア全権大使をお招きして、会の冒頭にご挨拶をいただくとともに、公開講座終了後には岐阜市内のレストランを貸し切り、県知事をはじめ各市町の首長、各種団体の長にも参加いただき、歓迎会を開催した。

翌日は、WCのプレキャンプを誘致したい岐阜県関市の要望に協力し、大使を同市へお連れした。グラウンド・トレーニング施設の見学だけでなく、文化遺産の一つでもある刀鍛冶を体験していただいたり、ご当地グルメの鰻重を紹介したりと、市長と共に案内した。

東京へ戻った後も大使は「関市を紹介するビデオを作りなさい」、「運動施設の全景がわかるように、ドローンを飛ばして撮影して」、「名古屋との距離・アクセスはそれほど気にしなくてよい。南アでは三、四時間のバス移動は珍しくない」。そして「このビデオは南ア本国へ送って評価されることになる。そこで、ビデオの後半にマディバ(マンデラ氏の愛称)が遺した言葉を引用すると効果的」など細かなアドバイスをくださり、付け加えるように「地元の朝日大学が、ウェスタンケープ大学と良好な連携関係を構築していることを含めて担当大臣に伝えておく」と語った。

あれから二〇カ月が経過。関係者のさまざまな努力が結実し、本年八月三十日に南ア代表チーム「スプリングボクス」が来日し、空港から直接岐阜入りした。翌々日には関市で公開練習を実施。市内外より二千名を超える観客が訪れ、世界トップクラスの選手のぶつかりあいに興奮した。誘致に協力した本学に関市長も配慮してくださり、スプリングボクスより六名の選手が朝日大学を訪れ、ラグビー指導の機会を頂戴した。身長二〇六㎝の大型ロック・スナイマンによるラインアウト指導では、言葉だけではなく、実際に学生と身体をぶつけ合っていたのが印象的であった。

地域の大学と自治体、国際交流、スポーツというキーワードを掛け合わせれば、さまざまな展開が可能となるが、本件は成功事例の一つとなった。蛇足だが、東京五輪のプレキャンプ誘致に、既に複数の市町の首長が学長室を訪れ「何か良いアイデアはありませんか？」、「在日大使を紹介してください」と懇願する。お声がかかるうちが花かと思って、一緒に汗をかこう。

２０１９年10月28日

ラグビーワールドカップを振り返って

まずもって、去る十月(二〇一九年)に列島を縦断した台風一九号による大雨災害で亡くなられた方々に哀悼の意を表するとともに、ご遺族や被災された皆様に心からお見舞いを申し上げます。

さて、読者の皆さんにこのコラムが届く頃には、ラグビーワールドカップ(WC)2019日本大会も成功裏に終えたものと願っている。執筆時点で、予選を終えて日本がプールAを一位で通過。大会前の世界ランキングで一位だったアイルランド、古豪スコットランドに快勝し、かつ全勝で通過することなど誰が予想し得ただろうか？　ラグビー経験者の一人として、その戦いぶりに熱狂した。

筆者は、ここまで三試合に足を運んだ。開幕戦となった日本対ロシア戦。秋篠宮皇嗣・同妃両殿下の御臨席をあおぎ、安倍晋三総理・同夫人、麻生太郎副総理、森喜朗元総理らが出席する中で行われた開会式は、まさに翌年の東京五輪開会式のプレイベント的な要素満載であった。音と映像、光を融合させたアトラクションにスポーツイベントの新たな幕開けを感じた。日本チームは初戦の緊張からか、あるいは会場のＬＥＤ照明がサッカーよりも照度を上げていたためか、落球が目立つ展開でヒヤヒヤした。翌日は予選プール屈指の好カードであるニュージーランド（ＮＺ）対南アフリカを観戦。南半球に所属する四カ国対抗戦などで普段からよく顔を合わせる両チームだが、南アの堅実なプレーに対して、やはりスター集団であるＮＺの個人技が勝る展開となった。

十月初旬にはトンガ対フランスを観に熊本まで足を運んだ。トンガ代表に、朝日大学を卒業したシオネ・バイラヌ選手が選ばれると聞き、半年以上前にチケットを確保した。ＷＣ大会前哨戦となった八月のパシフィック・ネーションズカップで、日本代表と花園ラグビー場で戦った時には、代表に選出され来日を果たしたが、九月に入ってトンガ協会が発表したＷＣメンバーの選に漏れた。学長として「卒業生に会えないのなら行く意味がない」と虚無感にも襲われたが、大会が始まると純粋に「トップレベルのプレーが見たい」という想い、「四年に一度じゃない。一生に一度だ。」という本大会のキャッチコピーにも背中を押された。トンガ選手のほとんどが外国のチームに所属し、いわゆる出稼ぎに出ており、代表がチームとして練習できる時間は限られている。それだけにラインアウトなどのセットプレーで緻密さを欠いたが、個々の能力の高さは目を見張るものがあった。

さて、何度か紹介したが、南ア伝説のプレーヤー、チェスター・ウィリアムズ氏を追悼する会が去る十月三日、都内の南ア大使公邸で開かれた。本来であれば、チェスター本人が出席して、自分のラベルの付いた「チェスターズＩＰＡビール」の販促を兼ねたＷＣ記念イベントとなるはずであったが、九月六日、心臓発作で急逝された。四十九歳であった。筆者は、日本の友人を代表して同大使ご夫妻の前でスピーチの機会を得た。チェスターとの思い出の写真をパネルにして、岐阜から抱えて上京した。拙い英語であったが彼の人柄を語り、ＷＣ今大会の南ア代表チームのジャージを身につけ、その背中に書かれたチェスターの直筆サインを披露したところ、会場は温かい笑いに包まれた。「ＯＮＥ ＦＯＲ ＡＬＬ，ＡＬＬ ＦＯＲ ＯＮＥ」そんなラグビー精神をふと想い出す、そんな一日となった。

２０１９年11月11日

南ア大使の前で追悼スピーチをする筆者

新国立競技場

去る一月十一日(二〇二〇年)に、第五六回全国大学ラグビーフットボール選手権大会の決勝戦を観に、初めて新国立競技場を訪れた。その四週間前、十二月十五日に行われた内覧会に、朝日大学と連携協定を結んでいる日本スポーツ振興センターよりお招きを受けていたが、残念ながら他の校務と重なり出席が叶わなかった。内覧会、その翌週二十一日に行われたオープニングイベント、そして「こけら落とし」となった元旦のサッカー天皇杯決勝の報道等に触れ、新しい競技場への期待は膨らむ一方であった。

当日は暖冬を象徴する初春の日差しに包まれ、木材を多用した外観は温かく輝いて見えた。外観のテーマは「杜(もり)」。鉄筋コンクリートで固められたスタジアムに、全国から取り寄せた木を貼り付けただけの構造との批判の声も聞かれるが、いわゆるコンクリート打ちっ放しよりも筆者の印象は良い。外構工事が完全に完了していなかったため、周辺の景観と馴染んでいるか? という評価を下すのは時期尚早。

キックオフ一時間前に競技場内に到着したが、すでに五割ほどの客席が埋まりつつあった。すぐに目に飛び込んできたのが座席の色。アイボリーやあずき色、抹茶色の座席がランダムに並ぶ。病院や介護施設などでよく見かける色使いで地味な印象を受けるが、スタジアム全体を見渡すと、空席が目立たない効果があるとのことで「なるほど」と納得。

昨年(二〇一九年)、ラグビーワールドカップの開会式・開幕戦と決勝戦を観るため、それぞれ東京スタジアム(味の素スタジアム)、横浜国際総合競技場(日産スタジアム)を訪れたが、これらと新国立を比較すると、いわゆる二階、三階席からの見え方は新国立の方がよく見える。グラウンドをより近くに感じることができる。一方で、通路や階段は、前者とあまり変わらず狭い印象を受けた。そのため試合終了後の退出には、それなりの時間を要した。トイレについては、男女共にやはり数が少ないようで、ハーフタイムではすぐに行列が見られた。皆さんの関心事は、東京オリンピックの際に、どこに聖火台が置かれるのか？　おそらくそれは当日の楽しみということになるであろう。

さて、ゲームは早稲田大学対明治大学という伝統の一戦。関西の雄である天理大学と関東リーグ戦をトップで抜けた東海大学を、それぞれ準決勝で倒して二三年ぶりの決勝カードとなった。正直なところ大学ラグビーで、新国立競技場の客席を埋めることができるか、勝手に心配していたが、蓋を開けてみればチケットは前売りで完売。約五万七千人の観客で埋め尽くされた。直前の展開予想を覆し、強力バックス陣を擁する早稲田大学の完勝であった。何より互いにペナルティーの少ない学生らしい素晴らしい一戦であった。

筆者はどちらの応援か、と聞かれれば、もちろんわが朝日大学を応援している。大学選手権に一六番目の「地方枠」が与えられた二〇一二年以降、八年連続で選手権に出場している。目標としてきたベスト八進出を賭けて、今シーズンはリニューアルされた聖地・花園ラグビー場で関西学院大学との一戦に臨んだが、残念ながら三八－一九で敗れた。関東の強豪校に全国から選手が集まる状況はなかなか変えられないが、地方からここ、国立競技場を目指して挑戦を続けたい。

2020年2月10日

新国立競技場

コロナ禍とスポーツ

コロナ禍が続く中、東京五輪の延期、あるいは中止の声が広がる。四年に一度、世界の頂点を目指して自分を追い込み、限られた代表枠を奪い合ってきたアスリートたちは、今、何を思うのだろうか——。そんなことを考えながら、本学の卒業生が出場すると聞き、初めて卓球「Tリーグ」を観にいった。

Tリーグは、日本卓球協会が将来のプロ化を目指して、二〇一八年にスタート。同年十月に両国・国技館で開幕戦が行われた。「朝日大学は男女ともに日本リーグにも加盟しているので、是非、観に来てください」という初代チェアマン・松下浩二氏のお声がけで、プレミアチケットをいただいたが、岐阜での校務と重なり、本学東京事務所の所員に代理で行ってもらった。

後日、お礼かたがた所員に様子を聞くと、「行ってみたら二階席でした」と。「相撲ならそれなりに見えると思いますが、さすがに二階からピンポン球は見えません。あれで盛り上がれ、と言われても……」とのことであった。日本相撲協会のホームページを検索すると、国技館の座席ビューがあり、二階席をクリックしてみた。確かに。卓球を観るにはつらかったろう。

そこで思い出したのが、家族旅行を兼ねて行った二〇一二年のロンドン五輪。次男が卓球好きであったことから、現地でチケットを入手して観に行った。会場は市内東部に位置する「エクセル」と呼ばれる巨大コンベンションセンター。ワンフロアに卓球台が並列で六台ほど並べられ、それぞれの上に巨大画面が吊られていた。観客席からどんなに目を細めても、卓球台の上を飛び交うピンポン球を視認することができず、結局、天井のモニターをずっと眺めての観戦となった。たった二つの経験から「大型体育館での卓球を観に行くのはやめよう。テレビで視る方がよっぽどよい」というのが筆者の持論となった。

さて、今回の会場は墨田区総合体育館。コロナ禍ということもあって観客数も厳しく制限され、前後左右の座席はしっかりと空けてある。リーグの発表では二四三人であった。目下リーグ二位の「木下マイスター東京」と、本学卒業生である英田理志（あいださとし）くんが所属する「T・T彩たま」とのゲーム。卓球台と同じフロア上に組まれた仮設のスタンド席からの観戦となったが、前述の経験と異なり、ピンポン球だけでなく、スピンする球筋まではっきりと見え、選手のステップを踏む音、息遣いや雄叫びが、観る者の五感を刺激する。

彩たまが第一マッチを獲り、迎えた第二マッチ。英田くんの相手は、史上最年少で日本選手権を制し、日本卓球界を牽引してきたあの水谷隼選手。手に汗握る展開となったが、英田くんが見事三―一で勝利。これで波に乗った彩たまがしっかりと勝ちきり、一三連敗から脱出した。

初めて水谷選手に挑んだ英田くんは「勝因は勝ち負けを意識せず、プレーできたこと。水谷選手は世界の卓球選手の中でも特にミスが少ないので、焦って決めに行こうとせず、冷静に自分の卓球をすることに注意しました。とにかく相手より一本多く返して、会場に来てくださった方々、リモートで応援してくださっている方々に楽しんでいただけるようにと集中してプレーしました」と謙虚に振り返った。

本学卒業後は実業団で二年ほどお世話になり、その後、スウェーデンリーグで三季を過ごした。昨年三月、コロナのために帰国し、夏から現在のチームに合流。岸川聖也コーチや松平健太選手といったビッグネームに囲まれて技を磨く。

苦労を重ねながらも世界を目指す彼らにエールを送りたい。

2021年2月22日

聖火リレー　その1

去る四月三、四日（二〇二一年）の週末、聖火リレーがやってきた。三月二十五日に震災復興のシンボルである福島県のJビレッジからスタートした聖火は、その後、栃木、群馬、長野各県を走り、五番目にここ岐阜県に到着した。新型コロナウイルスの感染拡大により、国民の多くが「五輪など開催できるのか？」という不安を抱いていることは、聖火リレーを報道した報道各紙からも垣間見ることができる。

地元岐阜新聞は「岐阜に聖火　希望の光」と題しながら沿道等の感染対策に触れ、中日新聞は一面トップで「聖火って　迷いながら―五輪の意味　見つめる一歩に」と掲げ、「多くの国民の共感は乏しいまま、聖火は列島を行く」と斬った。

筆者は、コロナ禍襲来の前、すなわち二〇二〇年夏開催の五輪に向けた、岐阜県の聖火リレー実行委員会の委員として、本イベントの計画段階から関わってきた。走行ルートについては基本的に各市町村からの手挙げ方式をとったが、結果的には観光立県をアピールする方向で決まった。長野から引き継がれた聖火は、まず同県と隣接する中津川市に入り、石畳の坂道など江戸時代の面影を残す旧中山道馬籠宿を駆け抜けた。次に織部に代表される美濃焼の産地・多治見市を回り、その後、杉原千畝さん生誕の地とされる八百津町では、駐日リトアニア大使が走った。ここから聖火は北へと向かい、現在、ユネスコの無形文化遺産に申請している「郡上おどり」で有名な郡上市内を巡り、最後は国際観光都市である飛騨の小京都・高山市で初日を終えた。

二日目は湯治場として栄えた下呂市から再開し、航空宇宙産業が盛んな各務原市、古戦場として名高い関ヶ原町、松尾芭蕉「奥の細道」むすびの地でもある大垣市、県内唯一の東海道新幹線停車駅を有する羽島市を回り、県都岐阜市では、斎藤道三・織田信長ゆかりの金華山・岐阜城を経て、県の運動施設である岐阜メモリアルセンターでフィナーレを迎えた。

ランナーの選出は、都道府県の実行委員会による推薦と、スポンサー各社からの推薦とを中央の組織委員会での名寄せ作業を経て決定される。各都道府県の推薦枠は全体の二割程度とされ、八割のランナーはスポンサーによって選ばれることになる。本大会とは別に、聖火リレープレゼンティングパートナーと呼ばれるスポンサー四社の他、サポーティングパートナーとアソシエイティングパートナーには大手企業が名を連ねる。ランナーがどの枠で、あるいはどのスポンサーから選ばれたかは、基本的に非公開。一九二八年アムステルダム大会の際、スタジアムの外に塔を設置して、そこに火を灯し続けるという案が採用されたことが契機となり、現在のような聖火が誕生したといわれるが、現在は本大会とはある意味別の、商業イベントとして確立された感も否めない。
そうはいっても地元自治体、警察等による全面的な支援を得て行われる大規模イベントである。開催当日の交通規制や警備、特に聖火ランナーの前と後ろを挟み込む大規模な車列群は大名行列を彷彿とさせ、おそらく地方都市を巡る方がそのインパクトも大きい。四年に一度の大会を目指して競い合い、また自らを追い込んできたアスリートたち。モスクワ大会をボイコットした時の彼らの落胆ぶりを思い出しても、安心・安全な東京五輪の開催に向けた気運を高めてあげたい。次項では、ランナーとして走った筆者の体験をお伝えしたい。

２０２１年４月26日

聖火リレー　その2

去る四月三日(二〇二一年)に、聖火ランナーとして高山市内の「古い町並み」を走った。今回はランナーとして選ばれるまでの道程をご紹介したい。

前項で、ランナーの選出方法について、都道府県の実行委員会による推薦と、スポンサー各社からの推薦とを中央の組織委員会での名寄せ作業を経て決まると書いた。筆者は、岐阜県民のスポーツ振興施策を協議する県スポーツ推進審議会の会長を務めていたため、県の聖火リレー実行委員会の委員を命ぜられた。

当初は三カ月に一回程度の会議で、ルートの選定作業から始まった。県がランナーの公募を始めた頃であったと記憶しているが、知事に直接「私もランナーとして走りたいのですが」と告げたところ「学長。ランナーを選考する委員会が、まさか委員をランナーとして選ぶわけにはいかないでしょう。スポンサー枠の方が圧倒的に数も多いのだから、そちらに手挙げしてください」と門前払いされた。

さて、困った。そうはいっても、公募の締め切りまであと一週間。聖火リレープレゼンティングパートナーと呼ばれる四社のウェブサイトを開いて、見比べてみた。コカ・コーラは、幼少の頃から慣れ親しんできたものの、自分の体重を気にするようになってからは縁遠くなっている。次に日本生命のサイトを開いたが、筆者の生命保険は他社にお願いして二十年以上になる。おそらくここと も縁は無さそうだ。そこで、岐阜の隣県に本社を置くトヨタ、そして自宅の固定電話がNTT、携帯電話のキャリアがNTTドコモ、という理由でトヨタとNTTの二社へ申し込むことにした。

それぞれのサイトでは、なぜランナーとして走りたいかといった動機、走ることによって何を伝えたいか、等について四百文字以内で入力するよう求められた。そこで二社の公式サイトを開いて、それぞれの社是や企業理念に目を通して、その中からキーワードを拾った。また別途、ワープロソフトを開いて、文字数を入念にチェック。四百文字以内のところを、何度かの推敲を繰り返して三九九文字とした。以下が、実際に応募した際の自己推薦文である。

「私は学長として一一年間『地域と大学をつなぐこと』に挑戦し続けてきました。十八歳人口の流出が顕著な岐阜県において、看護学や健康スポーツ科学など地元が求める学問領域を創出した結果、県内進学者が急増。商業高校と連携し、この六年間で公認会計士三三名を輩出する等、地域の自信を支えています。他方、スポーツに強い大学を先導し、ぎふ清流国体の成功に貢献。国体のレガシーを継承するため県内初の大学内総合型地域スポーツクラブを創り、金藤理絵氏など五輪選手を支援。県民からの支持を得てきました。現在、岐阜県スポーツ推進審議会会長として世代を超えた健康増進を展開し、また県体育協会副会長、県テニス協会会長として競技力向上を図るなど、人と社会をつなぐことに挑戦しています。都市と地方の格差が拡がる中、五輪を契機に世代や人種を超えたつながりを強め、夢の持てる未来社会を創造するような走りを地域の皆様に届けたいと願っています。」

申し込みからおよそ三カ月を経て、NTTから吉報が届いた。

これは後から知ったことだが、中央の組織委員会から、自分が持って走ったトーチを売ってもらえるというメールが届いた。事前申し込み制で、お値段は税込み七万一九四〇円。ほどなくしてNTTからメールが届き、「NTT推薦枠で選ばれた方には全員、弊社よりトーチをプレゼントします」と。好感度が急上昇したのは言うまでもない。

2021年5月10日

聖火リレー　その3

前々項に書いたように、四月三、四の両日（二〇二一年）、ここ岐阜県に聖火リレーがやってきた。筆者は三日の夜、飛騨の小京都と呼ばれる高山市内の「古い町並み」を聖火ランナーとして走った。

リレー当日までの二週間は、実行委員会より毎朝の検温、健康チェックシートへの記入、そして多人数での会食等への参加自粛を求められた。走行距離は二〇〇mと聞き、事前のトレーニングはしなかった。ただ、金属製のトーチが見た目よりも重いと聞き、一リットルのペットボトルを逆さに握って足踏みをしてみたが、どうも実感がわかず長続きしなかった。

ランナーが着る公式ウェアは当日、配られるということで、事前に用意をしたものは以下の五点。まずシューズ。できれば東京五輪の公式スポンサーをしている「アシックス社製が望ましい」ということで、事前にネット通販で購入した。次にウェアの下に着るアンダーウェア。「白色の公式ウエアから透けない色、ウェアの下からのぞけないデザインを」とのこと。筆者が走る日の一週間前、同市内で朝方に小雪が舞ったという報道に接し、すぐに長袖・V字ネックのヒートテックを購入した。とにかく寒いのは嫌いだ。簡易カイロもポケットにしのばせた。あとは、前述の健康シートと身分証明のための運転免許証。その他、予備のマスク、のど飴などをバッグへ放り込んだ。まるで小学生の遠足前夜。忘れ物はないかと、何度も確認して床に就いた。

当日は何とか天候にも恵まれ、リレー開始の二時間以上前に高山市役所に集合した。受付で「おめでとうございます」と笑顔で公式ウェアを手渡されると気持ちが高ぶってきた。控え室で着替えた後に、一五名のランナーが広い講義室に集められた。初めて顔を合わせる者同士だが、やはり皆、テンションが上がっている。自己紹介をして携帯による撮影会が始まった。ここで重要なのは、前のランナーと筆者、そして筆者と後ろのランナーとで、聖火を受け渡す際にどのようなポーズをとるかを各々で決めることだった。

三月末に福島県からスタートしたリレーの様子がＮＨＫの公式サイトにすべてアップされていたため、それを事前に視聴して「ポーズだけではなく、何かメッセージを発信しましょう」と提案。前のランナーが県内在住の女性であったため「ありがとう、高山！」と、そして後ろのランナーが埼玉県在住の男性であったため「ありがとう、岐阜！」と発することにした。

十九時前に市役所を出ると、全員、マスクを着けて輸送車に乗せられた。ランナーの前後を輸送車が走り、われわれは各中継地点前で降ろされる。後ろの輸送車が走り終えたランナーを回収していく。輸送車から降ろされる際に初めて自分のトーチが渡されるが、まさに感動の一瞬。後続のランナーから拍手で見送られる。

ブロンズ色に輝くトーチを抱いて中継地点に立つと、朝日大学からの応援団のほか、県内企業の応援隊、高山市内の私立高校の理事長や高山地区選出の元県会議員など、旧知の仲間が待っていてくれた。筆者の区間の応援者がやや多かったためか、見知らぬおばちゃんに「あんた、有名人なの?」と聞かれた。あらためて岐阜県に赴任してからの二十余年に感謝した。あっという間と言われたが、地元の方々からの温かい応援にも手を振り、充実した二〇〇mとなった。その夜は、こっそり市内の寿司屋で一献。美酒に酔いしれた。

2021年5月24日

さようなら　平成の怪物

ようやくコロナの第五波が収まった。一日の新規感染者数がゼロという県も散見される。総選挙対策で感染者数を調整しているのでは？　と勘ぐる向きもおられたが、その後も減少傾向が続き、気持ちもやや開放的に。

そんなことを前置きしながら、感染状況が急激に改善した去る十月十九日（二〇二一年）、ベルーナドーム（旧・西武球場）に足を運び、かの松坂大輔投手の引退試合を観てきた。前の週のネットニュースで松坂投手が登板すると知り、在京の先輩に頼み込み、何とかプラチナチケットをゲットした。

筆者はいわゆる「松坂世代」ではなく、ただの「西武ファン」である。三歳の頃に西武新宿線沿線に引っ越し、十三歳の時にライオンズがクラウンガスライターから西武グループへと移った。以来、「アンチ巨人」を辞めて、西武ファンとなった。初代・根本陸夫監督の時代は、積極的なトレードを仕掛けるなど人作りの期間であった。根本氏の手腕は、むしろ球団のフロントに入って以降、人材発掘に発揮された。

ドラフト会議では、いつも西武が隠し球とも呼ぶべき甲子園未経験者などを指名し、会場内には驚きの声が響いたものだ。根本チルドレンという表現を、当時は使わなかったが、振り返れば石毛宏典内野手や秋山幸二外野手、伊東勤捕手、工藤公康投手など多数。特にこの四名はその後、プロ野球球団の監督にまで上りつめている。以後、広岡達朗氏、続いて森祇晶氏が監督を務め、ライオンズは黄金期を迎える。

筆者が大学二年生の時に、東尾修氏が監督に就任した。西鉄ライオンズからのたたき上げ投手であった彼の現役時代の印象といえば、たとえば一九七二年西鉄最後のシーズンは五五試合に登板し、一八勝二五敗。一九七七年クラウンライターの最初のシーズンも一一勝二〇敗と、勝ち星を大きく上回る負け数。それでも通算二五一勝での名球会入りは弱小球団のエースとしては立派。その氏が監督時代にドラフト一位で入団したのが松坂投手である。

彼の輝かしい球歴の中から、個人的には以下の四点を挙げたい。まずは入団初年度から、イチローから三連続三振を奪うなど高卒出身とは思えない技量と度胸で一六勝を挙げ、リーグ最多勝、そして新人王を獲得した。次に挙げるのは二〇〇六年、二〇〇九年とワールド・ベースボール・クラシックでの活躍。日の丸を胸にマウンドで躍動する松坂の姿は日本中に感動を与えてくれた。そして二〇〇七年にはボストン・レッドソックスのユニフォームを着て、何と日本人初のワールドシリーズの勝利投手となり、同チームの優勝にも貢献。日本の「野球」の凄さを全米に見せつけてくれた。しかし、どうしても忘れられないのは横浜高校での活躍。甲子園での春夏連覇。引退会見で本人も語った、ＰＬ学園との準々決勝で延長一七回まで投げ抜いての勝利。その後の決勝戦でノーヒットノーランを達成し、「平成の怪物」と呼ばれた。

今回の引退試合では、松坂自身がこだわってきた先発として登板。対戦する日本ハムの計らいで、高校の後輩である近藤健介選手がバッターボックスに立った。両軍ベンチのみならず球場全体が立ち上がり、その一球一球を、固唾を呑んで見守った。筆者の目から自然と熱い涙があふれ出た。興奮冷めやらぬままドーム球場を後にする頃には、外は秋雨に変わった。

晩年は怪我に苦しみ、年俸ほどの成果が上がっていないことに批判も少なくなかった。それでもプロ・スポーツ界に四十一歳まで身を置いたことを評価したい。人生はまさに一〇〇年時代。引退後の活躍にも注目したい。

２０２１年11月22日

PART 4

好きなことをしよう

平成元年(1989年)3月16日
「おれ納豆with冗談半分Band」Live
JIROKICHI@高円寺，東京

三谷幸喜の世界

昨年(二〇一八年)の秋、平成最後の園遊会に招かれた脚本家三谷幸喜さんと天皇、皇后両陛下との会話。「三谷です。お招きいただきましてありがとうございます」、天皇陛下「ようこそ。今はどういう仕事をしていらっしゃる」「今はミュージカルをつくっております」「ああそう」、皇后陛下「ミュージカルはどんな時代の?」「『日本の歴史』と申しまして、一七〇〇年にわたる日本の歴史をミュージカルに」、天皇陛下「それはずいぶん長い時間の?」「はい。上演時間は短いですけども、長い時間の話をやらせていただいております」、天皇陛下「それはなかなか構想も大変でしょう。長い歴史を、ね」「はい、そうです。でも歴史が好きなものですから、とても楽しい仕事です」。

複数のニュース番組を通じて見た感想としては、さすがは稀代の脚本家でかつ演出家、そして映画監督。園遊会を使って自分のミュージカル作品の宣伝をするとは。しかも陛下に向かって日本の歴史を語るとは、策士にもほどがある。

その報道から一カ月も経たない頃、妻の友人からの電話。「せっかく取ったチケットだけど。同じ日、同じ時間帯にさらに観たいお芝居のチケットが取れたので譲ります」と。作・演出:三谷幸喜、音楽：荻野清子のミュージカル「日本の歴史」、何と前から三列目のプレミアムな（人気で即日完売した貴重な）チケットを送ってくれた。策士などと評したことも忘れ、喜び勇んで会場へと向かった。

さて、この原稿が読者の皆さんの目に触れる頃には本ミュージカルの大阪公演も終わっている。もしも後日、有料放送等で観たいと思っている方には、「是非お薦めいたします」の言葉を贈りたい。

ここからはネタバレあり（敬称略）。

二幕構成の作品。テキサス州のある家族の年代記が、なぜか日本の歴史と並行して語られてゆく。アメリカ人が契約書や銃にこだわり、土地開拓、農場、石油採掘、そして都市開発へと乗り出してアメリカンドリームを手にする過程と、日本人が世襲制や血統に重きを置きながら権力争いを繰り返す過程は、現代の人種や文化の特性にも通じ、それらすべては「因果関係」で結ばれている、と三谷は語りかける。

とりわけ日本の歴史では、聖武天皇亡き後に力を伸ばした藤原仲麻呂、貴族になろうとした武士としての平清盛、江戸中期の朱子学者の新井白石、影の薄い江戸将軍として九代徳川家重、幕末の赤報隊を率いた相楽総三、農民に頼られた侠客（きょうかく）で秩父困民党の指導者であった田代栄助など、有名な歴史上の人物であっても「そう来るか?」といった側面を、また、何となく名前だけ聞いたことのある人物についてはその背景をきちんと説明した上で、人間関係を中心に描き出す。

一七〇〇年の歴史をたった七名の役者で展開させ、しかも日米が交錯するので、その早さに少々当惑するかもしれないが、そこはミュージカル。生演奏の音楽のテンポ感と、耳あたりの良い歌詞がわれわれの理解を助けてくれる。コメディの要素を入れて笑いをとりながらも、しっかりとテーマに向き合い、考えさせる作品となっている。

若手役者では、三谷作品は初めてという宮澤エマの好演が光った。サッカー番組での絶叫ばかりが印象的な川平慈英の台詞は、舞台上からしっかりと届いてくる。それに対して、ミュージカル初出演という中井貴一。筆者の高等学校の五年先輩で、硬式テニス部の主将も務めていたのであまり厳しいことも書けないが、本人が「歌ったり、踊ったりするのは恥ずかしい」というだけあって、照れながら演じているようにも見えてしまうところが、さらに会場からの笑いを誘う。はじめから三の線狙いだったようだ。以上、簡単ながら見どころのレポートとしたい。

2019年2月11日

そうだ　キャンプへ行こう　その1

最近、国内のボーイスカウトが下火で、活動拠点の基本的なユニットである団が廃止されているという知らせを耳にした。データによると、スカウト人口は一九八三年度の二三万三千人をピークに減少に転じ、二〇一六年度は六万二千人にまで落ち込み歯止めがかからないという。大学経営も、十八歳人口の減少に伴い、定員充足に頭を悩ませている現状に照らせば納得せざるを得ないが、小学生の頃から携わってきた筆者にとってはやはり寂しい思いもある。

ボーイスカウト活動は、都道府県連盟の下に、地区があり、その下に団がある。団の活動は寺社、教会、あるいは町内会等が場所を提供し、登録された順にナンバーリングされている。筆者は、キリスト教カトリック系の高円寺教会が母体である杉並第五団に所属していたが、ここは東京連盟の杉並地区内で五番目に古い団体ということになる。

野外で、子どもたちの自発性を大切に、グループでの活動を通じて、それぞれの自主性、協調性、社会性、たくましさやリーダーシップなどを育んでいくが、そのゴールは奉仕の精神の涵養と実践にある。筆者の時代には、小学校三年から五年までをカブスカウトと呼び青い制服を身につけていた。小学校六年から中学校三年までの四年間をボーイスカウトと呼び、制服は、甲子園大会の入場行進等でも馴染みの深いカーキ色に変わった。

高校生をシニアスカウト、大学生をローバースカウトと呼び、基本的にボーイスカウトと同様、カーキ色の制服を身につけた。六三制と異なり、小学六年生になると中学生の先輩たちに混じってテントを張り、薪を割って、飯盒で飯を炊いて、というのが魅力的だった。揃いの制服を着て行動することで、集団における規範や規律というものも学んだ。

進歩制度というのもスカウト活動の特徴の一つで、テントの立て方やテントサイトの設計、かまどの作り方、薪の選び方、その管理方法、野外での炊事法、結紮法(ロープの縛り方)、救急救命法、消防法などさまざまな技能について、その年齢に応じた課題が与えられ、それらを体得し、評価され、表彰されるサイクルが形成されていた。雨の中でマッチ二本だけを使って米飯を炊く、生きた鶏をさばいて調理するといった課題もあった。筆者は中学生で菊章を取得し、高校二年生で杉並五団創立以来初の富士章(ボーイスカウトにおける最高章)を受章した。

その年、全国で富士章を取得したスカウトおよそ五〇名が、当時東京都三鷹市にあった日本連盟本部に招集され、その夜はソニーの井深大会長らと懇談の機会を頂戴した。翌日は東宮御所、首相官邸、文部大臣室などを回り、皇太子様(今上天皇)、礼宮(現・秋篠宮)文仁親王、中曽根康弘首相といった錚々たる方々からお褒めの言葉を頂戴した。二日目の昼食はボーイスカウト振興議連に所属する櫻内義雄、橋本龍太郎先生らに激励され、おそらくご馳走になった(と記憶している)。

学生時代に富士章を取得した者だけが、永久章として胸のポケットに刺繍のバッジを着けることが許される。その後、進学した医大にはローバースカウトが無かったため、出身母体である杉並五団所属のOBとして後進の指導にあたったが、医大での病院実習、国家試験勉強、研修医から大学院へと進むうちにウエスト回りも大きくなってカーキ色の制服も着られなくなり、いつしか活動から足が遠のいた。二人の愚息もボーイスカウトに参加することなく、その時期を過ぎてしまった。来る二〇二二年には日本連盟が創立百周年を迎えるが、振り返ると素晴らしい思い出ばかり。まずは登山靴でも磨いてみるか。

2019年4月22日

そうだ　キャンプへ行こう　その2

前項で小学校からボーイスカウト活動に従事していたことを紹介したが、実質的には小学校三年生から高校卒業時までお世話になった。

ボーイスカウト活動の特徴の一つとして、まずは「ちかい」と「おきて」を覚え、日々この実践に努めることが求められる。

創始者である英国人のロバート・ベーデン＝パウエル卿は、少年たちがさまざまな野外教育を通じて男らしさを身につけ、将来社会に役立つ人間に成長することを実証するため一九〇七年、二〇人の子どもたちとともに英国のブラウンシー島で実験キャンプを行った。この体験をもとに、翌年『スカウティング・フォア・ボーイズ』という本を著し、ボーイスカウト運動の基本的な精神と生活の規範を示したのが、この「ちかい」と「おきて」である。一〇〇年以上の時を経ても色褪せぬ精神として今もなお、引き継がれている。

筆者が中学生の頃、学校現場において国旗掲揚や国歌斉唱の問題が叫ばれたが、ボーイスカウトで日本の国旗の意味、歴史、仕様について学び、諸行事においては常に国旗の掲揚・降納を行った。五〇名ほどのグループ内から、その日、国旗掲揚の担当を命ぜられると気持ちが引き締まったことを今でも覚えている。降納の際には、特に真ん中の日の丸部分が汚れぬように国旗をたたんで翌朝のために納めた。日本国旗の縦横比が二：三、日の丸の直径は国旗の縦幅の五分の三であることもボーイスカウトが教えてくれた。

キャンプの仕方、いわゆる野営法もボーイスカウトにおける野外活動の基本である。一人で家形のテントを張る、床をなすグラウンドシートを雨の中でも濡らさずにテントを張る、滞在が三日、四日と長期になった場合にテント内にカビなどが発生せぬよう常に換気と乾燥に努める方法など。そしてテントサイトの衛生管理、食糧や薪の選び方、またそれらの管理方法も重要な事項である。今のようにインターネットのない時代であったため、そのほとんどが先輩からの指導によるものであった。

野外活動に必要な刃物の扱いについては、特に厳しく指導された。雑木林を切り拓いてテントサイトを確保するための手斧やカマ。薪を割ったり竹細工をするためのナタ。何より自分のナイフを持つことを許可するプロセスは、少年が、秩序をもって集団での野外生活を営むために求められるディシプリンと解することができる。どんな時も自分のナイフを大切にし、このナイフがさまざまな大自然からの挑戦より自分の身を守ってくれるものと信じて、常に切れる状態を維持するため心を込めて磨いた。
「一度（ひとたび）スカウトに『ちかい』を立ててなりし身は、死ぬときまでスカウトだ」小学生から歌わされてきた曲だが、ボーイスカウト活動から離れて早三十年。日々、「ちかい」と「おきて」が実践できているか、もう一度見直さねば。

ちかい

　私は名誉にかけて、次の三条の実行を誓います。
一、神（仏）と国とに誠を尽くし、「おきて」を守ります。
一、いつも他の人々を助けます。
一、からだを強くし、心をすこやかに、徳を養います。

おきて

一、スカウトは誠実である。
二、スカウトは友情にあつい。
三、スカウトは礼儀正しい。
四、スカウトは親切である。
五、スカウトは快活である。
六、スカウトは質素である。
七、スカウトは勇敢である。
八、スカウトは感謝の心をもつ。

2019年5月13日

岐阜の夏

「令和」を迎え、立夏を過ぎた去る五月十一日(二〇一九年)より「ぎふ長良川鵜飼」がスタートした。

昨年度(二〇一八年)は大雨、台風の影響などで、観覧船が過去最高の四十二日間運休となり、主管する岐阜市をはじめ関係者には大きな打撃となった。「今年こそは天候に恵まれ……」と、空を見上げて祈るばかりである。

鵜飼は、鵜を利用して魚を捕る伝統漁法で、ここ岐阜長良川では一三〇〇年以上前から行われている。漁を行う鵜匠たちは歴史的には時々の権力者に保護されていたが、明治維新以降は特別な保護もなく、漁を辞めざるを得ない人が続いた。明治二十三年より宮内省(現・宮内庁)より式部職鵜匠の辞令を受け、現在に至っている。岐阜市の鵜匠は六名で、皆、世襲制でその伝統を継承している。

岐阜市の鵜は、茨城県日立市の伊師浜海岸で捕獲された野生のウミウで、それぞれの鵜匠の家で大事に育成されている。鵜匠は毎日、鵜の体調等をチェックして、その日コンディションの良い十数羽を「選抜」して、籠に詰めて鵜舟へと運び込む。実は中国大陸の南部、江蘇省から広西省にかけてでも鵜を用いた漁法が行われている。彼らはカワウを用い、自宅で繁殖をさせて、しっかりと飼い慣らし、中には紐無しで魚を捕る鵜もいると聞く。鵜飼のルーツが日本にあるのか、中国にあるのか定かではないが、歴史的に両国が密接な関係にあったことの証である。

さて、首に紐をかけられた鵜だが、舟の先頭に灯った篝火（かがりび）に驚いた鮎が、清流の中で動き出したところを目ざとく見つけ、すかさず潜って捕まえる。その紐は、鵜匠によって「ほど良く」絞められ、窒息するほど強くなく、小魚は通過して胃袋へと入っていく。人間が欲しがる「ほど良い」サイズ以上の鮎は喉元を通過できず、鵜匠によって上手にたぐり寄せられ、鮎を吐き出す。それでも一所懸命潜って鮎を捕り続ける姿は、まるで妻と筆者の関係のようだ。

漆黒の闇の中、火の光に照らされ、鵜匠が舟の縁を叩きながら「ほうほう」と声をかけて鮎を追い込む姿は何とも幻想的である。これを観た彼の芭蕉も、「おもしろうて　やがてかなしき　鵜舟かな」という一句を残している。しかし、だ。舟着き場への集合時刻は午後五時過ぎ。いそいそと乗り込んで、まずはビールで乾杯し、冷えた弁当で宴は始まる。少しお金を払うと、専用の舟が近づいてきて焼きたての鮎の塩焼きを配ってくれる。そして日本酒、焼酎と。さて、いつになったら鵜飼とやらが始まるのか？　尿意を催し、河原づたいに「トイレ舟」なる舟上便所へと駆け込む。

ほど良く陽も沈んだ頃、合図がわりの花火が上がり、やっと鵜飼がスタートする。

鵜飼は思いの外、素早く進行する。鵜舟に接近しないと、鮎を呑み込んだ鵜が舟に引き上げられて鵜匠の手の上に鮎を吐き出す瞬間を見るのは難しい。鵜が、水面下で鮎を捕まえる瞬間など見られるはずもない。特に前日まで雨降りだった翌日は増水して、水は濁り、かつ鵜舟も激流下りと化しており、鮎はほとんど捕れない。

結局、舟上で待つこと二時間、佳境は実質十五分ほど、ということも。歴史の重みも理解はできるが、インバウンドが増加する昨今、セレブな客を観覧舟ではなく鵜舟自体に乗せたり、さらには鵜匠が握る紐の一つを持たせて「体験鵜飼」をさせたり、鵜が実際に捕った鮎をその場でさばいて塩焼きにして食べさせるなど、もっとライブ感があってもよいのでは。

この「ぎふ長良川鵜飼」、今年(二〇一九年)も十月十五日まで。ただし満月の日は、明るすぎて鮎が捕れないという理由から舟が出ない。ウェブサイトで事前にチェックしていただき、是非予約をしてお越しいただきたい。

2019年5月27日

そうだ　キャンプへ行こう　その3

さて、ボーイスカウト物語の三回目、今回はキャンプの基本の一つ、火おこしについてご紹介したい。

野外活動をしていると、日に三度の食事の準備も大変だが、それ以上に雨の日も、風の日も安定的に火を確保できるか、が生命線になる。

小学校六年生から中学校三年生までの四年間は、基本的には同じ場所にテントを張り続けて滞在する「固定キャンプ」を行う。

野営地に入ると、まずは生活の中心となるかまどを設置する。かまどと聞くと、コの字状に石を積み上げて棒を渡すタイプ、あるいは壕のような穴を掘ってそこに薪をくべるタイプのものを想像する方も少なくないのでは。これらのかまどは、雨天に弱く、また地面からの湿気や風向きの影響を受けやすく、長期滞在には不向きである。そこでわれわれは竹材等で組み上げた「立ちかまど」を作製する。これは持ち運びが可能で、雨が降ってきたらフライシートの下へと移動、風向きが変われればかまどの向きを変えることもできる。また、薪をくべる位置が高いため、地面からのさまざまな影響をほぼ排除し、火元も見やすく管理が容易である。そこで野営地へ行く前の準備として、竹を入手してあらかじめ必要な長さに切って束ねてキャンプ地へと持ち込んだ。

火の元の管理では、小学校理科で習った①燃えるモノ、②発火点、③酸素の三要素を常に意識する。新聞紙や牛乳の紙パックで着火し、木くずや割り箸、小さな薪、そして中程度の薪へ、最後に太い薪へと火を移していくが、ただ無造作に並べるのではなく、常に空気の通り道を意識して、立体的に積み上げていくことが重要。また発火点を保つために、薪の周囲を鉄板や天ぷらガードなどを用いてコの字に囲んで輻射熱を逃がさない。

薪は常に乾燥させておくと、早期の火力アップに直結する。そのため天気の良い日には、太陽の下に薪を組んで乾燥させ、入眠前には夜間の天候悪化や朝露の影響を受けぬよう、薪をテントの中に入れて寝るようにした。このような習慣を徹底すれば、長雨の中でもさっさと米飯を炊くことができる。他のグループよりもいち早く米が炊けると、子どもながらに誇らしかった。

さて、高校生になると「移動キャンプ」が主体となり、手間を省くためにいわゆるバーナーを使った。筆者の先輩方は、ラジウスと呼ばれるスウェーデン製の灯油バーナーを使っていたが、筆者らはオーストリア製のホエーブス625というポンプ加圧式のバーナーを先輩方から受け継いだ。赤い缶に入っていて皆「ブス」と呼んでいたが、使用前にプレヒートと呼ばれる予熱を加えてから使用することなど、金属製の舶来品は少年の好奇心を十分にくすぐってくれた。

ブスの使用法を覚えた頃に、コールマン社からピークワンと呼ばれるバーナーが登場。プレヒートを必要とせず、燃料も灯油からホワイトガソリンへと移行し、厳冬期の雪山でなければ安定した火力を得られたため、その後はピークワンが主流となった。後期モデルでは三本の脚（あし）がついたことでバーナー自体も安定し、安心してシチューなどの汁物の調理もできた。

高校卒業後は、仏製のキャンピングガス、英製のエピガスといった交換用ガスカートリッジタイプのバーナーが流行し、灯油やガソリンを直に使うような野蛮なタイプはすっかり下火になってしまった。しかし、友人の下宿で鍋料理を囲む時に使うイワタニのガスコンロとほとんど変わらない簡素な構造に、少年の心は躍らされない（岩谷産業さん、すみません！）。キャンプ前になると、ブスやピークワンを分解して掃除をしていた頃がどこか懐かしい。

２０１９年６月10日

映画寸評——この一年間を振り返って

「最近、映画館へ行って映画を観ることもなくなったね。たまには行こうか？」そう言って妻を誘い出した。とりたてて後ろめたいこともなかったが、こういう時ほど点数を稼がねば。妻はもっぱらレンタルビデオ屋さんのお世話に。筆者は海外出張の航空機内で。わが家は未だ、ストリーミング配信などオンラインの映像サービスを利用するレベルには至っていない。

さっそくスマートフォンを取り出して、作品、上映時間帯、座席をピンポイントで予約。クレジットカードで事前決済。これだけでも何とも便利な時代になった。向かった先は電鉄系の商業ビル内の映画館で、同一施設内に複数のスクリーンがあるいわゆるシネコン。全席が指定席なので、前の回が終わる前から並んで、扉が開くとバッグを投げて席取り、などという煩わしさは「昭和の時代」に終わった。

しかも夫婦どちらかの年齢が五十歳以上の場合、いつでも二人で二二〇〇円で映画が観られるという「夫婦五〇割引」の適用も受けることができた。一人あたり一一〇〇円ということは、六十歳以上の方が受けられるシニア割引と同額。安くしてもらっているのに、どこか複雑な気分。しかし、夫婦五〇割引の注記に「揃って同じ映画を観る場合」と。お互い五十歳を超えてくると互いの寛容さも影をひそめ、シネコンの場合、一緒に映画館へ行っても夫婦それぞれ違う映画を観る可能性もあるということか。

さて、夫婦で観た二作品をご紹介したい。一本目は昨年(二〇一八年)秋公開されたラブロマンティックコメディー「クレイジー・リッチー!」。そのまま翻訳すると「頭のおかしなお金持ち」といった感じ。アジア系移民の女性大学教授と、シンガポール華僑の不動産王御曹司が米国で恋に落ちるというハリウッド映画。キャストの大半がアジア人、またアジア系米国人で、それをワーナー・ブラザーズが配給している点でも話題となった。姉妹校との交流、また留学生関係の仕事で米国、中国、東南アジアなどを訪れる機会の多い筆者には、世界で最も元気の良いアジア人の姿と、儒教的な伝統と文化を守ろうとする国民性が、米国のそれらとの対比で描かれていることに爽快感を覚えた。しかし、シンガポール系華僑によると「ミレニアル世代のクレイジーさはこの映画のとおり。いや、むしろ実態はもっと派手かも」とのこと。世界に拡がる華人・華僑ネットワーク、恐るべし。

二本目は本年(二〇一九年)二月に公開された邦画「翔んで埼玉」。原作は三〇年前に書かれたギャグ漫画だが、変わらぬメッセージがそこにあった。埼玉県内の大学を卒業した妻にはド・ストライクな一作。「埼玉人って、いじられ慣れている」と涙を流して笑っていたのが印象的であった。

　埼玉県春日部、所沢、千葉県流山といった地名、草加せんべい、深谷ねぎ、また横浜といえば崎陽軒の焼売、そしてそこに入っている「ひょうちゃん」と呼ばれる醤油の容器など、東京出身の筆者にとっても身近なネタが満載。大河ドラマ「西郷どん」での好演が光った二階堂ふみと、「芸能人格付けチェック」で抜群の強さを誇るＧＡＣＫＴのダブル主演。そのイメージで観ると、二人が演じる役柄とのギャップも笑いを誘う。二人が共に沖縄県出身者というのも監督が意図したところか。

　まったく背景の異なる二作品だが、人の生い立ちやルーツ、独特の生活習慣、風習などは変わるものでも、変えられるものでもなく、むしろ大事にすべきであることを教えてくれる。昭和の時代も遠くなり、昔はコスモポリタン、今はダイバーシティという言葉が当たり前のように使われているが、ミレニアル世代にはもう一度、自分の足元を見つめてほしい。

２０１９年７月８日

映画への思い

本学の広報を請け負ってくれている会社のアシスタントが出演した映画「サクリファイス」（壷井濯監督）が、「ＳＫＩＰシティ国際Ｄシネマ映画祭２０１９」の国内コンペティション長編部門で初公開されると聞き、七月某日、埼玉県川口市まで足を運んだ。若い監督が、カルト教団、東日本大震災といった壮大なテーマに果敢に挑んだ作品に、まずは拍手を送りたい。

筆者も高校生のある時期、とにかく映画を観まくった。思春期に、ちょっと背伸びをして「大人の世界を教えてくれる時間」であり、ある意味で精神的な第二次成長（性徴）の期間でもあったといえよう。もちろん、両親からは「そんな暇があったら、英単語の一つでも覚えよ」と叱咤された。

音楽や映画の話をする上で、重要かつしっかりと設定しておかねばならないこと、それはジェネレーションである。筆者は昭和四十一年（一九六六年）生まれ。よって高校時代は昭和五十八年（一九八三年）頃。時代は東京ディズニーランドの開園、テレビでは「おしん」が大流行。ベストセラーには穂積隆信氏著『積木くずし』が名を連ね、その年のレコード大賞は細川たかし氏の「矢切の渡し」であった。

ローカルな映画館では一日で二本立て、あるいは三本立てが上映されていた。筆者が通っていた東京・吉祥寺駅北口には昔から「ムサシノ映画劇場」なるものがあったが、ここが昭和五十九年（一九八四年）に「吉祥寺バウスシアター」の名で再スタートした。作品選びから建物の雰囲気まで、当時としては前衛的な空間を創出し、われわれの心をくすぐってくれた。作品選びといえば、永く単館ロードショーにこだわってきた岩波ホール・エキプ・ド・シネマ（神保町）、そしてシネマスクエアとうきゅう（新宿区）、シネスイッチ銀座、ユーロスペース（渋谷区）などが挙げられる。

単館ロードショーでのヒットが日本中へと拡がった代表作がイタリア映画の「ニュー・シネマ・パラダイス」（一九八九年日本公開）。ラストシーンで、形見として残されたフィルムの中に数々の名作映画のキスシーン等が登場するが、それをいくつ知っているか？　観たことがあるか？　ネットで検索ができない時代に、それを自慢し合ったものだ。

その頃にお勉強した作品として、今でも印象に残っているのは「パリは燃えているか」（一九六六年）、「卒業」（一九六七年）、「ひまわり」（一九七〇年）。アンジェイ・ワイダ監督作品や、スタンリー・キューブリック監督の「2001年宇宙の旅」、「時計じかけのオレンジ」、「シャイニング」にも熱狂した。もちろん邦画、寺山修司監督作品や、大島渚監督をはじめとする日本アート・シアター・ギルド（ATG）製作・配給作品にものめり込んだ。今風（いまふう）にいえば、映画館を出る時には、頭の周囲に『？？？』マークが出ていたが、それをあたかも理解したかのように振る舞うのも背伸びの一つであった。

銀幕時代にはスターが、テレビ全盛時代にはアイドルが、その時代、時代を飾った。時は流れ、ネット上ではユーチューバーが活躍する。心を動かす芝居よりも、リアルな映像が瞬時に世界を駆け巡る。

そういう意味では、今回の映画祭で観た「ミッドナイト・トラベラー」も印象的であった。タリバンから殺害予告を受けたアフガニスタン人映画監督が、家族と共に隣国やヨーロッパへ安住の地を求めて彷徨う姿を、スマートフォン三台で撮ったドキュメント作品。人口減少局面にありながら移民問題を未だ身近なことと感じられない日本人には、そのリアルなメッセージが突き刺さる。今回がジャパン・プレミア（初公開）となった。機会があれば是非、ご覧いただきたい。

2019年8月26日

追記：わが朝日大学では二〇二二年冬、アフガニスタンより二名の避難学生を受け入れた。同国の状況や国外避難の背景などを理解するため、「ミッドナイト・トラベラー」を学内で上映した。

オノマトペ

最近はテレビをじっくりと見る時間もなくなり、録画したものの中から番組を選択して、とにかく「その番組だけを見る」生活へと変わりつつある。ビデオ機器のリモコンにもご丁寧に「三〇秒送り」なるボタンがあり、テレビCMの基本的な尺が三〇秒なので、たとえば一回押せば、CM一つを飛ばせることになる。

そんな中で最近、目にとまったCMがある。リクルート社による「ホットペッパーグルメ」。ハリウッド映画調で、特殊メイクを施した男性二人が車を爆走させながら掛け合う。

「ホットペッパーグルメの当日予約の仕方、分からへんねん」

「分かった。おまえには世話んなってるから、丁寧に教えたるわ。よー聞いといてな。こうやってスマホしたら、ピッとしたら地図が出てきて」

ここで場面が切り替わり、右側にスマホ画面が現れる。スマホの時計は1：20PMを示す。「11／8(金)19：00　2名　『今日いける』60件」のお店が、グーグルの地図上に表示される。地図の中心は東京駅で、左側には二重橋前駅と皇居のお濠まで載っている。コテコテの関西弁での会話で、関西から東京に出て来た人が、今夜、東京駅周辺で二人で行ける店を昼食後に検索している、というストーリーが容易に浮かんでくる。

「バーンってやって、ドーンとやったら、キューって予約できんねん。キューって」

バーン、ドーン、二回のキューに合わせてスマホ上の操作が進み、お店、そして予約時間帯を設定する画面へと切り替わっていく。何とも軽快なテンポである。通常三〇秒といわれる尺の半分、一五秒枠で、伝えたいことを十分に伝えているCMである。大学の広報も是非、こうありたいものだ。

ここで筆者が注目しているのは、関西の方々がよく使うオノマトペである。わが朝日大学の教授で、出身は大阪府大阪市の生野区。名門・清風高等学校をご卒業され、ラグビーをこよなく愛するデンティストだが、とにかく日常会話の中で巧みにオノマトペを挟み込んでくる。とある目的地までの行き方を尋ねると「突き当たりをカーンと曲がったら、三軒目でキューと止まって、階段をトントントーンと昇ればアレですやん」と。師、曰く「先生が関東(出身)だから、きぃー遣って、丁寧に説明しているつもり」なのだそうだ。確かに、その道中が目に浮かぶ。

本学ラグビー部の監督も同じく大阪市旭区の出身。名門・天理高校をご卒業され、学生への熱い指導には定評がある。とくにスクラムやタックルといったコンタクトプレーに対して「バーンと当たらんか！」、「グーと押せ！」、「そう、そこ。肩、バチーンといけ！」と。擬音語がよりリアル感を生み出す。さらにこの二人が筆者にやさしく語りかける。「チャウチャウちゃう？」の掛け合いが理解・正しく発音できるようになれば、関西弁上級者の仲間入りだと（詳細は割愛させていただく）。

医療現場でも、患者から病歴を聞く中でオノマトペがよく飛び出す。「ズキズキ痛む」のか、「ドーンとした痛み」なのか、「動くたびにキャ、キャと痛む」のか。カルテには患者の言葉をそのまま記録するよう教わったものだ。

ちなみにここ岐阜でも、岐阜弁と呼ばれるオノマトペが存在する。たとえば熱くなっているやかんを「このやかん、ちんちんになっとるぞ」や、信号機が点滅する様を見て「信号がパカパカしとる、すぐ、渡らなぁ」など。その土地に根付いた方言とオノマトペ。日常の生活と密接に結びつき、掘り下げてみると面白い。

２０２０年４月13日

ギターの神様逝く

ある朝、テレビ番組から、米国のギタリストであるエドワード・ヴァン・ヘイレン（通称エディ）の訃報が流れた。晩年はアルコール依存症にも苦しんでいたとも聞いていたが、享年六十五歳。その早すぎる死に筆者の悲しみは深かった。

一九六〇年代後半から七〇年代、ハードロックというと、エレキギターの音を歪ませた大音響のディストーション・サウンドを中心に、反戦など社会性が強く、暗い曲調が多かった。また、その時代を代表するレッド・ツェッペリンやディープ・パープルといったバンドには、ジミー・ペイジ、リッチー・ブラックモアといった超絶ギタリストがいた。

そんな中、エディはドラムスを担当する兄のアレックスとともに一九七八年、バンド名「ヴァン・ヘイレン」でデビューした。日本では六枚目のアルバム「１９８４」からシングルカットした「ジャンプ」が大ヒット。全米第一位を獲得し、その名を確固たるものにした。

既に飛ぶ鳥を落とす勢いであったマイケル・ジャクソンが一九八二年、後に「史上最も売れたアルバム」と呼ばれる「スリラー」を発表したが、エディはこのアルバムに収められた「今夜はビート・

イット」に参画。間奏部分が来るとエディは、そこまでマイケルが作ってきた世界観を完全に上書きしてしまうほど存在感のあるギターソロを披露。印象的なミュージックビデオとともに、エディのギターが世界中を駆け抜けた。

かく言う筆者は子どもの頃からピアノを習い、中学生でバンド活動に身を投じた。ギターはバンドの中心的存在であったが、左指で弦を押さえるのがどうも苦手で、練習曲の王道「禁じられた遊び」で音を上げてキーボード役に甘んじた。そんな筆者にとってエディの卓越したテクニックは憧れの的であった。

本来、弦をかき鳴らす右手をネックの方へ持ってきて、左右の指で弦を押したりはじいたりを繰り返して速弾きする「ライトハンド奏法」（別名タッピング奏法）に、「どんな弾き方をしているのだろう?」とギターキッズが興奮した。それまでのハードロックとは一線を画した明るいコード進行と、キーボードを絡ませたメロディアスな旋律に、アメリカンロックの新しい潮流を感じた。各ロックバンドに、筆者のようなキーボード奏者が必要とされる時代が到来した。

「世界の三大ギタリスト」をネットで検索すると、エリック・クラプトン、ジェフ・ベック、前出のジミー・ペイジといった大御所が並ぶ。御年七十五歳のクラプトンは、ロックというよりも英国白人のブルースという印象が強い。ヤードバーズ、クリームといった伝説的バンドを経て、ジョージ・ハリスンとの親交からビートルズのレコーディングにも参加。七〇年代以降はソロとして活躍し、名曲「いとしのレイラ」を発表。米国ローリングストーン誌が挙げる「最も偉大なギタリスト一〇〇人」では、第二位に輝いている。

そのクラプトンについて、亡くなったエディが同誌の中でこう評している。「私に影響を与えた唯一のギタリスト。――私は彼のようなサウンドは出せないけれども。演奏、スタイル、雰囲気、そしてサウンドには基本的なシンプルさがあった」。クリーム時代のライブ・レコーディングでの演奏を評価しつつ、ソロになった後の変化を指摘して「私が尊敬するのは、彼がこれまでしてきたこと、そして今していることすべて。しかし私を鼓舞させたこと、私にギターを手にとらせたことは、彼の初期の作品に影響されている。私は今でもその頃の作品のソロを演奏することができ、それらは永久に私の中に刷り込まれた。ブルースが基本のそのサウンドは、いまだに現在のロックギターのコアになっている」と。あらためてエディの原点をそこに見た。

2020年10月26日

エンタメ21

ギリシア文字として使われたアルファ、ベータ、ガンマまでは一般的だが、ここへ来てデルタやオミクロンまで登場し、変異株との闘いはいつまで続くことやら。新型コロナウイルスに振り回され「どんよりと暗い一年」であったが、年の瀬に今年（二〇二一年）のエンタメを勝手に振り返ってみる。

音楽業界もコンサートをはじめとするリアル・イベントが開催できず、かなり苦労したと聞く。過去のお宝映像を期間限定で配信したり、無観客ライブを開いてウェブ配信したりと実験的な取り組みも注目された。そんな中で筆者のイチ押しは、スウェーデンのポップグループ、ＡＢＢＡの四〇年ぶりの再結成である。

一九七二年から八二年まで活動した男女四人組で、代表曲として「恋のウォータールー」（一九七四年）、「ダンシング・クイーン」（一九七六年）が挙げられる。当時は北欧と聞くだけで心が躍った。距離的だけでなく精神的にも遠く、かつどこか「大人の香り」がした。私の四学年上の兄が、ストックホルムにあるカロリンスカ研究所に留学し、現地で行われた学位記授与式に参列するまで、そんな印象を抱き続けていた。七〇年代ポップスのメロディの素晴らしさ、万人受けするハーモニーは今でも心の奥底に残り、期せずしてカーラジオから流れると、ついつい口ずさんでしまう。ヒット曲が多いシンガーは強い。七十歳を過ぎた彼らの更なる活躍に期待したい。

東京五輪の会場ドクターとして有明アリーナを往復していた八月上旬。その疲れを癒すため、東中野にある小さな映画館で観たのが「サンマデモクラシー」（山里孫存監督）。日本私立大学協会事務局にいらした某氏のメルマガに紹介されていたのがきっかけである。米軍支配下の一九六三年沖縄で、サンマにかけられていた輸入関税に反対して抗議の声をあげた魚卸業の女将・玉城ウシが起こした裁判闘争を通じて、民主主義を見つめ直すドキュメンタリー。同年米軍トラックの信号無視による中学生轢殺事件が起こるが無罪判決となる。

キャラウェイ高等弁務官は「沖縄が独立しない限り、住民自治は神話である」と演説。後に自治神話といわれた時期のこと。筆者世代の多くが「大学入試には出ないから」という理由で、ほとんど学んでこなかった戦後史がそこにある。現在も続く、過度な在日米軍の基地負担など沖縄が抱える諸問題を再考するのに相応しい一作。ちなみに筆者はこの作品に感化され、十月上旬に那覇市内の「不屈館」を訪れて瀬長亀次郎氏の活動を見直してきた。

今年観た作品でもう一本紹介したいのが「Ｆｕｋｕｓｈｉｍａ　50」。東日本大震災後に起こった福島第一原発事故時に原発内に留まり戦い続けた五〇名の作業員のお話。昨年三月に公開されたが、残念ながらコロナの影響が強い中でのロードショーで、実際に映画館へ足を運ぶことができなかった。その後にＤＶＤ化されたものを、同原発の建設に関わった会社に勤める先輩から頂戴した。筆者は原発事故後に当時、入院加療中であった吉田昌郎所長の生のメッセージが聞けるということで、福島県内で開催されたあるイベントに参加したが、その時に聞いた所長の声が今も耳に残っており、映画のメッセージと重ね合わせて涙した。

暮れも押し迫った師走に、イッセー尾形氏による一人芝居「妄ソー劇場・すぺしゃるｖｏｌ．３」を観てきた。昭和という時代を懐かしみ、時代を鋭く風刺する切れ味は鋭い。普段、孝行が不足している妻への良いプレゼントとなった。

２０２１年12月27日

ちょっと箸休めに

こうしてコラムを書くようになったのは、成蹊小学校での日記教育がベースにある。同校では毎週一回、日記の提出を義務付けていた。「毎日書かなくてもよい。学校生活や登下校の行き帰り、家族との会話などを通じて、感じたことを文字にしてみること」を教わった。

学長職に就くと、毎日、多くの校務があり、打合せや会議を通じて自分の意見を発信する機会が格段に増えた。学外の方々とお会いし、懇談や意見交換の場も増えた。また、さまざまな学外の公職をお引き受けすることで、専門外の分野を俯瞰的に見ることができるようになり、コラムのネタも次から次へと降ってきた。

「このプロジェクトを、こう進めていこう」「タイムスケジュールを、こう組んで」と、打合せの際にはよくホワイトボードを引っぱり出してきて、自ら司会進行役をしながら、ボードに書き出して、それらを時系列にまとめ、いつ・誰が・何をするかを決めていく。このテクニックは、中学二、三年生での生徒会活動、そして中学・高校と続けてきたボーイスカウト活動を通じて体得した。

書いて、思考を整理し、分かりやすく発信をすることで、他者と協働して無から有を創る。どんなにICTが進化しても、大きなプロジェクトを成し遂げるために必要なスキルであり、他者との違いを認識し、それを受け入れることで、世界はさらに広がりをみせる。

PART 5

困難を乗り越える知恵

朝日大学体育館での
新型コロナワクチン接種

新型コロナウイルスと遠隔授業

新型コロナウイルスによる感染拡大に伴い、入学式、そして新学期の授業開始など多くの学事が大幅に制限されている。私ども朝日大学でも、「三つの密」を避けるため、オンライン会議システムを利用した遠隔授業を開始した。ライブで配信し、視聴学生とやりとりをしながら進めるのが理想だが、担当教員の経験不足や授業中に起こりかねない通信障害、システムダウンなどを想定。ビデオ収録をして、その翌日、あるいは一～二週間後から配信。学生も場所、時間帯を指定されず、見たい時に見るというオンデマンド型を選択した。

会議システムをインストールしたパソコンに、Webカメラ、マイク、そして紙媒体の資料等を映し出す書画カメラ、板書書き用の液晶タブレットを接続。これらを基本セットとして、学内のゼミナール室に、一セットとスチューデント・アシスタント一名を配置。先生方には原則、時間割通り出校していただきアシスタントを相手に講義を行う。機器の操作、収録データの出力はすべてアシスタントの仕事。幸い、情報管理学を専門とする中堅教員と事務官が全面的に協力してくれたため、スムーズに導入することができた。年配の大先生に細かな操作を教えるより、学生の方が覚えも速い。システムを理解し、操作を習得した先生の中には、自分の研究室で収録したい、あるいは在宅で収録・配信したい、という希望も上がり、日々進化している。

実は、筆者はこういった遠隔授業の支持派である。もう二〇年ほど前になるが、法人役員就任前に、簿記や宅建、ファイナンシャルプランナーといった大学運営に必要な知識を得るため大原簿記学校や、資格の学校TACのお世話になった。最初は、火曜、金曜の夕方六時半から開講、といった通学講座を申し込んだが、その当時は医師として手術や救急診療にも携わっていた。急患が入ると受講ができないという日が続いた。そんな時、専門学校側がビデオ学習を薦めてくれた。

まだネット環境も脆弱だったため、学校まで行き、受付でVHSのテープを借りてビデオブース内で視聴した。すると驚いたことに、先週まで受けていた対面授業よりも解りやすい。その後に分かったことだが、その学校では、毎年ブラッシュアップしたシラバス、教材を所有し、名古屋や岐阜といった地方都市では、近隣の大学教員等がアルバイトで対面授業を行っていた。それに対してビデオに登場するのは、在京の売れっ子講師。教材の編纂にも関わっており、しゃべりも上手い。解りやすいのは当然のことだった。

翻って、医学部や歯学部の学部教員は、学生教育だけでなく、臨床や研究の実績も求められる。しかし三割三〇本（塁打）三〇盗塁をこなせるプレーヤーはそう多くない。臨床で売れっ子のドクターほど、「教育負担が大きい」という声をよく聞く。両学部では既にモデルコアカリキュラムが確立し、また国家試験の出題基準も明示されている。そういう意味では、全国の大学で同じような授業を展開している、と言える。

遠隔授業の普及を契機に、各専門学会でしゃべり上手な教員を人選し、全一五回、あるいは全三〇回のモデル授業を作成。各大学では、基本的にはそれを配信、あるいは、それを放映しながら、都度、担当教員が映像を止めて内容を補足するような授業に転換すれば、多忙な先生方の教育負担を大幅に減ずることができるのでは？　東進ハイスクールによるオンデマンド型授業や、リクルート社によるオンライン学習サービス「スタディサプリ」など配信映像で勉強した学生が増えてくれば、受け手側はむしろ大歓迎ではないだろうか。

２０２０年４月27日

単身赴任生活の経験値

新型コロナウイルスの感染拡大に伴い、経済のみならず医療提供体制の不安定性が増し、なかなか先が見えない。このコラムも、遅くても掲載二週間前までに校了せねばならず、二週間以上先のことに不透明感が漂うのは、東日本大震災、引き続いて起こった原発事故以来のことであろう。

校務を通じて中国との往来が多かったこと、また本職が医師ということもあってか、さまざまな相談が舞い込む。「知人にPCR検査陽性が出た。この先、どうなるのか？　どう励ましたらよいのか？」、「近くの医者へ行ったら解熱剤を出された。ネットで調べると、飲まない方がよい薬リストに挙がっていた」といった身近な問題から、「武漢研究所から、二六～二七度のお湯を飲むとよい（?!）」、「BCGワクチン接種すると免疫系が活性化されて……（?!）」といったチェーンメール。さらには「二年先まで予約の取れなかった焼き鳥屋に空きが出た。その店へ行っても安全か？」、「最近の北京市内の様子は？」等々。しばらく連絡が途絶えていた友人から「久しぶり」という書き出しのメールは、得てして文章が長く、読み終えて結局、何を求めていたのか不明。日常に不安が拡がっている。

◇

さて、学長としては夜の行事がめっきり減った。安倍首相も、ほぼ連日続けてきた夜の会食を、三月十八日（二〇二〇年）を最後に自粛しているとの報道。確かに、以前は「首相がどんなお店へ行ったか？」新聞の首相動静を見ながら評論したものだ。

筆者の岐阜での単身赴任生活も二〇年を超えた。学長職に就いて一二年になるが、この間、産官学金と、学内外のさまざまな分野の方々との会食を重ねてきた。しかしコロナウイルスの蔓延とともに、完全に自粛となった。こういう状況に陥ってあらためて振り返ると、本大学の繁栄と筆者の不健康さは比例していたように思う（いや、そう信じたい）。

自粛モードに入り、筆者の夕食は本大学附属病院での患者食となった。カロリー計算され、大変身体に良い。このところマスクを着けての出勤も増え、マスクによる「小顔効果」もあってか、「先生、最近ホッソリしましたね」と褒められる。まさか病院内で晩酌するわけにもいかず、「たまには」と帰宅道中、「酒」の看板が光るコンビニへと立ち寄り、弁当とビールを買い揃える。買い物カゴを抱えて店内をブラブラしていると、冷凍食品の「塩ゆでそら豆」が目に入った。季節的にはやや早いかと思いつつも、人生初めての購入。

裏面を見ると、「ゆでる場合」と「電子レンジの場合」とあった。子どもの頃「電子レンジの前に立つと身体に悪い」なんて教えられた世代なので、「ゆでる」を選択。鍋に水をはり、沸騰したところでそらまめを投入。再沸騰し、鍋の中で豆が踊るのを眺めながら、一本目のビールを抜栓。ニュース番組を視ながら、さらに五分ほど経ったか。水の色がやや褐色に変わってきたような気がして火を止めた。ざるに移して一つ目を試食。皮を破ろうと思ったら、中身がグニャリ。ホクホクとなった豆はアルデンテをはるかに超越し、舌と上顎でも潰せるほどに軟らかく、歯ごたえも失われた。

「何だ、これは。冷凍食品ってこんなもの?」再び包装の裏面をよく読むと「凍ったままそらまめを袋から取り出し、再び沸騰してからざるなどに移してください」と。ただの茹で過ぎか。ならば、塩でもふってと思い冷蔵庫を開けたが、在庫切れ。

たわいもないことだが、単身赴任生活の経験値がさらに上がった。この不安と苦労を、学生諸君も乗り越えているのであろうと感心しきり。

2020年5月11日

「新しい生活様式」の模索

去る五月四日（二〇二〇年）には新型コロナウイルスの感染拡大に伴う緊急事態宣言を五月三十一日まで延長することが発表された。予想されたこととはいえ、多くの大学が「新しい生活様式」に合った対面授業の再開方法を模索されているのではないだろうか。

◇

岐阜市内でクラスター発生が連発し、二次医療圏内の指定病床がいっぱいになり、私どもの附属病院も、感染症指定病院ではないものの、県、市からの要請を受けて、新型コロナウイルス陽性患者の入院受け入れを行った。

院内の感染管理チームの意見を最優先しながら、ダイヤモンド・プリンセス号内で発生した患者を受け入れた一般病院の感染対策事例を参考に、感染患者と医療スタッフを中心とした非感染者の動線が交差しないようゾーニングを徹底した。病院事務課と地元の建築業者が、休日を返上して対応したが、全国各地で同様の対応が進んでいることから必需物資は争奪戦に。見積り合わせなどしていたら、目の前から候補物品は消えていく。建築資材では、アクリル板の入手が困難となり、「金額的には高くなりますが、ポリカーボネートであれば」と。値段を聞いても頭に入らず「それでお願いします」と発注。簡易陰圧装置やLAMP法を用いた遺伝子検査装置なども同様で、「今なら在庫があります」と言われると、すぐに「一台押さえてください」と。

マスク、ガウンといった衛生材料は争奪戦の域を超えていた。卸業者も悲鳴を上げる中を、学長自ら電話を握りしめて「こういう時だから、古い付き合いを優先して、まずはうちの病院へ回して」と交渉。おそらく、どこの病院も同じような交渉をしていたと思う。

N95型マスクの調達には苦労した。四月十日には厚生労働省が「N95マスクの例外的取扱いについて」と題して、再利用の方法を通達するなど、その不足が顕在化していた。支援の手を差し伸べてくれたのは在日本中国大使館で、その関連からKN95型マスクを提供してくれた。基本的には米国基準のN95と同じものだが、中国基準のマスクということで、その当時の報道では「基準を満たしておらず米国政府は認めない」とのことであった。それでも、安全在庫としてKN95があることは現場に安心感をもたらした。

結果的には、ピーク時、一二名の患者を受け入れた。五月九日現在も数名が入院加療しているが、今のところ院内スタッフに感染者は無く、それでも管理者としては緊張の日々が続いている。

一方、大学からは学生、教職員に対応するため体温計が欲しいとの声が上がった。「本数は?」

と聞くと、現場からは、「三〇本くらい」と。「ではとりあえず四〇本を」と、すぐにテルモ株式会社の三村孝仁会長に連絡した。ご存じの方も多いと思うが、同社は、第一次世界大戦の影響で、輸入が途絶えた体温計を国産化するため、北里柴三郎博士らが発起人となり一九二一年に設立された。一九三六年に商号を「仁丹体温計株式会社」に変更。一九六三年「株式会社仁丹テルモ」となり、小職も子どもの頃から水銀体温計で大変お世話になってきた。会長が同社名古屋支店長をされていた頃からのご縁で、今般、工場出荷から二日後には腋下型四〇本を本学に届けてくださった。

紀元前をBC、すなわちBefore Christと呼ぶが、新型コロナウイルス感染蔓延前の世界をBC、すなわちBefore Coronaと呼ぶとすると、今、われわれはAC、すなわちAfter Coronaの世界を描き、これに寄与し得る人材育成に向けて手を打たねばならない。

2020年5月25日

〝ＳＴＡＹ ＨＯＭＥ〟の日々

新型コロナウイルス感染症第一波の収束が見えてきた。対人口比からみると、日本の死亡者数は世界的にみて決して多くはないが、それでも文化人や芸能人の訃報は大きな悲しみとともに、この感染症の恐ろしさをわれわれに伝えてくれた。仕事柄、多くの人と接することが多いだけに、分かってはいても予防が難しかったことは容易に想像される。〝ＳＴＡＹ ＨＯＭＥ〟の日々、読者の皆さんはどのように過ごされたであろうか。

東京から単身赴任を続ける筆者は「不要不急」の移動を避けたが、緊急事態宣言の発出以降は、県境を跨ぐ移動も制限された。学校法人の理事会をはじめ、さまざまな会議が遠隔会議システム「Ｚｏｏｍ」利用となった。某建設業者との打ち合せでは、「Ｚｏｏｍはセキュリティが脆弱なので、マイクロソフト社のＴｅａｍｓを使って欲しい」と言われたが、初心者にはＺｏｏｍの方が使いやすかった。某運送業社長は積極的に「Ｚｏｏｍ飲み会」に参加され、筆者にその楽しさを語るとともに、「若い人と呑むとエンドレスになるので、参加する時に九〇分一本勝負と宣言する」と、コツまで教えてくださったが、残念ながらこの間、どこからもお誘いはない。

これまで、お盆や正月休みに都内へ戻っても、妻や息子たちに気を遣い、自宅内での居場所を見つけられぬまま岐阜へ戻ることも多かった。しかし今回ばかりは、まさにSTAY HOME。「熟年のコロナ離婚」などというネット記事を目にすると「邪魔者扱いされぬように」と、買い物の運転手から庭掃除まで汗を流した。二日に一度は厨房に立ち、夕飯に向けて一品作ることを心がけた。野菜庫を開けて、目に付いた野菜の名前をスマートフォンに入力。「新タマネギ　レシピ」などと検索後、スマホを見ながら調理開始。

台所の時計を眺めて、短針が五の数字を通過していると「今日も一日、がんばった」と自分を褒めて、ビールを抜栓。食卓についた息子に対して、自分が作ったものばかりを勧める筆者に妻もあきれ顔。さらに居場所が不安定化している。

食後、妻は友人から送られてきた面白動画に興じている。「見て、見て」と言われ、彼女のスマホを覗き込むと、自宅の居間に大きなニシキヘビがとぐろを巻いていた。グーグル検索でAR（拡張現実）の動物を表示する機能らしい。筆者はといえば、コロナの影響で開催が中止され、代わってオンライン配信となった「TOKYO JAZZ+plus」を視聴。遠隔ライブといいながらそれぞれの音源を調整し、かつ映像にまで手が加えられている。そのクオリティの高さに驚くとともに、新しい可能性も感じた。

ところで朝刊を開くたびに気になっているのが、広告チラシの少なさ。さらには新聞本紙の広告も減っており、代わりに新聞社系列企業の広告が目立つ。過日、東京から岐阜へと戻る際、名古屋駅構内のポスター広告が激減していることにも驚いた。貼られていたのはJR東海による「そうだ京都、行こう。」と「国土交通省からのお知らせ」だけ。コロナ禍により、飲食店や観光業だけでなく、広告収入を生業としている業種への影響も大きいことを実感した。

命が助かれば、次は「経済対策との両立」とは言うは易く、行うは難し。決定的な治療薬やワクチンの普及が見えない中で第二波、三波の襲来にも備えねばならず、当然のことだが国民の消費マインドにも好転の兆しが見えない。高等教育においても、バイトが無くなり、学費が支払えず修学を断念、あるいは大学進学を諦めざるを得ない若者の急増が危惧される。国の支援にも限りはある。世界中を巻き込み長期戦の様相を呈してきた。「新常態」に合った発想の転換が急がれる。

２０２０年６月８日

ウィズ・コロナ

去る五月二十五日（二〇二〇年）、東京を含む五都道県に対する緊急事態宣言が解除された。読者の皆さんも、少しずつではあるが、アフター・コロナというよりも、ウィズ・コロナの新しい生活様式に適応しつつあるのではないだろうか？　むしろ、この機会に「おうち」が好きになり、大学への出校が苦痛と感じておられる老師も少なくないのでは。

初等・中等教育では、段階的に、かつ分散をさせて対面授業を再開させつつあるが、文部科学省の報告によると全国の大学・高専一〇六六校のうち、六月一日時点で対面授業を実施しているのは一〇三校と、全体の一割程度にとどまり、多くは再開の時期を八月以降、もしくは未定と回答している。本学でも四月より遠隔授業を開始したが、歯科医師、看護師、歯科衛生士を養成する医療系分野は、実習時間を確保せざるを得ず、六月より段階的に対面方式へと切り替えた。

北は北海道、南は九州・沖縄から進学してきた学生の保護者から、春先には「早期に県境を越えて岐阜へ行かせるのは心配」との声が多かったが、今回、実習の段階的開始を通知すると、「どうせ岐阜へ行かせるのであれば、午前は講義、午後は実習と『ちゃんと』授業を再開して欲しい」

なるご意見も頂戴した。実家での自粛生活が長くなってきたこともあるのであろうか？　窓口で対応する事務職員の苦労がしのばれる。

諸外国に目を向けると、同様にコロナ対策に苦慮している。期せずして感染者増となった米国では、秋学期への対応を急いでいる。東海岸のハーバード大学では大学院については引き続き遠隔授業を継続予定、学部については遠隔授業を用意しつつ対応を検討中と不透明なようだ。交流校である西海岸のＵＣＬＡから届いたメールによると、市内の商店やレストラン、中小企業などがゆっくりと再開する中、近隣の大学も含めて対面方式の再開へと向かっているそうだ。

一方、中国の対応は早かった。新型コロナウイルス対策を「抗疫」と呼び、各方面で抗疫対策がとられた。二月下旬から始まるはずだった北京市内の幼稚園、小学校から大学の春学期開始が延期され、早々に在宅学習が導入された。交流校である北京外国語大学も遠隔授業に切り替え、許可がなければキャンパス内にも入ることができないという封鎖体制もとった。朝日大学で勤務経験もある北京外国語大学歴史学院の戴秋娟先生によると、「遠隔授業により、中学・高校生はある程度、自分で勉強することができるが、小学生には家庭のサポートが必要。中国では共働き家庭が多く、在宅勤務ができない保護者は仕方なく子どもを祖父母に預けることとなり、プレッシャーを感じてしまう祖父母も少なくない」という。いかにも教育熱心な東洋人らしい生活様式である。

感染症への恐怖感は忘れやすいとの論調が散見される。この点は六月九日の日本経済新聞も一面で、一一年前に流行した新型インフルエンザで得られた教訓が「放置」され、体制の改善に至っていないと指摘している。世界中の誰もが、新型コロナの流行は悪夢であって欲しいと願ったはずだ。しかしこれは夢ではない。強毒性を持つと言われる欧州型ウイルスによる第二波・第三波の襲来に向けて備えよ、つねに。

2020年6月22日発行

大会開催の判断

新型コロナウイルス感染症の拡大により、スポーツも大きく影響を受けた分野の一つといえる。筆者は岐阜県テニス協会会長として、毎年四月末から五月の連休にかけて「カンガルーカップ国際女子オープンテニス」大会の運営に携っている。今年（二〇二〇年）度の大会開催の可否について、ＩＴＦと呼ばれる国際テニス連盟からの連絡を待っていたが、彼らも中止によりスポンサー収入を含めて失うものも少なくなく、その指示は直前までずれ込んだ。結局、五月末からの全仏オープンの延期とともに、われわれの大会を暫定的に八月へ延期することで調整したが、その後の世界的な蔓延状況を見て、今年の開催を見送ることとした。

シングルスであれば、主審を入れてもコート内には三名。ダブルスでも五名しかいないので感染のリスクは低いと判断し、県協会としては、国体予選を含めた県内の各種大会を予定通り進めていたところ、三月末、学長室に一本の電話が入った。小職がたまたま？　不在であったため、秘書が対応した。「お宅の学長さんはテニス協会の会長だろう。お伝え願いたい。子どもがテニスを習っている。明日、小学生、中学生の県予選が予定通り開催されるようだ。コロナで、すでに学校も休みになり自粛要請が出ている中、学長さんは、この予選会が開催されることをご存じなのか？　県テニス協会の会長判断なのか、あるいは理事長判断なのか？　はっきり言って中止して頂きたい」、「これまでもシニアの県大会を予定通り開催してきたようだが、その中には県内でクラスターを発生させたメンバーも参加していたとも聞いている。協会は危機意識が低いのでは？　保護者の中には、県の教育委員会にクレームを上げた方もいるが、自粛要請に留まっている。何とかしてほしい」と。

お飾り会長としては、早速、現場を取り仕切っている理事長より進捗状況を聴取。これを受けて県教育委員会、県体育協会に連絡し、同様の苦情が入っていることを確認。いずれの担当者も「理事長には、中止をお願いしているのですが」と困った様子。そこで県知事に連絡をし、ご意向を伺った上で、理事長に「開催を見送るよう」電話口で頭を下げた。直前となったが、結果的には延期ではなく中止とした。

後日談になるが、秘書は私の性格を知ってか、その時点では私に伝えなかったが「お宅の学長さんは、宇宙旅行にでも行っとるのかね？」ともおっしゃったらしい。理事長も「会長が背中を押してくれたので助かった。一年に一度の大会を目指してきている選手たちのことを思うとなかなか踏み切れなくて」と。大学運営とは違った意味での判断の難しさを知った。

あれから三カ月。プロ野球は無観客でスタートした。テレビ中継だけを視ているとそれほどの違和感はないが、外野席へホームランが叩き込まれると、スタンド席はガラガラ。数十年前のパ・リーグの試合を思い出す。さまざまな理由があったようだが、女子プロゴルフの開幕戦がテレビではなくインターネット中継されたのも新鮮だった。運営にはかなりの気を遣われたものと思われるが、メインスポンサーが製薬会社であったことを考えると、開催した勇気と感染者を出さずに終えた実行力に敬意を表したい。

コンタクトスポーツと呼ばれるラグビーや柔道、レスリング等、また一部でクラスター発生を起こした剣道では、競技再開に向けて各競技団体がガイドラインを定めるなど知恵を絞っている。東京では新規感染患者が再び増加へと転じており、まだまだ課題は多い。

２０２０年７月13日

東京五輪・医療スタッフの研修会

前項で、新型コロナウイルス感染症の拡大とスポーツ界への影響について触れた。コロナ禍が無ければ、本号発刊(二〇二〇年七月二十七日)の頃には五輪で世界中から多くの人が日本を訪れていたのでは、と思うとどこか隔世の感を禁じ得ない。

ふりかえると東京五輪に向けて、公私にわたりさまざまな活動に参画してきた。アスリート支援といった面では、本学法学部三年の辻すみれさんがフェンシング競技で、また本学内に設置した総合型地域スポーツクラブ「ぎふ瑞穂スポーツガーデン」所属選手が、男子ホッケーやカヌー競技で五輪出場し、活躍することを夢見ていた。もちろん選手諸君の悔しさを思えば、下を向いている場合ではない。岐阜県内におけるコロナウイルス感染症の沈静化が見えた五月末に日本ホッケー協会幹部と協議。毎日の検温、手指や用具の消毒などガイドラインの作成を助言する一方、私ども朝日大学病院で、男子代表チームのPCR検査を引き受けた。関係者全員の陰性を確認し、六月二十三日より、朝日大学ホッケー場で強化合宿を再開した。

筆者個人は、日本バレーボール協会のメディカルユニット(旧医事委員会)の一員として、新設された有明アリーナで会場ドクターを務める予定であった。バレーボール競技は、男女、それぞれの予選ラウンドを含め、七月二十五日から八月九日の決勝までと開催期間が非常に長い。八時から十六時まで、十六時から二十四時までの二クール制で、医師・看護師の確保を進めていた。併せて、ビーチバレー競技の医療スタッフの手配も行っていたが、筆者は年齢を盾に、「屋外(ビーチ)での医療活動は自信がない。(冷房が効いた)インドアでお願いしたい」と懇願した。

また、これに先立ち、すべての競技の医療スタッフを統括する「TOKYO2020 MED 研修事務局」から、個々が有する資格についての調査を受け、救急医療、特に心肺停止または呼吸停止に対する一次救命処置であるBLS(Basic Life Support)資格を取得するよう指示された。そこで新年早々一月七日に都内で開催された研修会に参加した。昼から六時間半、缶詰めにされ、その日の参加者は一一名。若い看護師さんが多く、医師は筆者だけ、最年長者であった。

研修医時代に三カ月間、麻酔科をローテートしたこともあって、実技は順調に終えることができた。自衛官である四十歳前後の講師にも褒めていただいた。その後、二五問の筆記試験があり、二一問以上が合格。テキスト持ち込み可ということで、「何とかなる」と甘く見ていた。しかしだ。試験問題を開いた途端に「頭が白くなった」というより、一問目の問題文を二回、三回と読み直しても、日本語として頭に入ってこない。後頭部から前頭部にかけて、かーっと熱くなるのを覚えた。

「時間が余っちゃうかもしれません。できた人から、回答用紙を持って隣の部屋へ移動してください。採点を開始します」と講師が呼びかける。隣の若い看護師さんがペラペラとページをめくる音が聞こえる。しかし筆者は未だ一問目を読み直して「こんなこと、教わっただろうか……」とテキストをめくる。が、どのページを開いたらよいかも解らない。

私以外の受験者は全員、早めに退出し、隣の部屋から「合格の拍手」が次々と聞こえてきた。試験時間いっぱいを費やしたのは筆者だけであった。結果二三／二五。かろうじて合格を手にすることができた。加齢とは、こういうことか、と自分を慰めた。外へ出ると冷たい雨が降っていた。前頭部に拡がる火照りが解消したのは、それから二時間ほどが経ってからであった。こんな苦労をしたのだから、どうしても五輪を開催してほしい。

2020年7月27日

沖縄のステーキ屋さん

Go Toキャンペーンがスタートした。アクセルとブレーキを同時に踏む政策と揶揄されているが、車が止まっている状態で踏めば、タイヤが焦げつく。走っている状態で踏み込めば、おそらくスピン。いずれにせよ運転手は危険にさらされる。今回は、感染拡大に伴う渡航自粛要請に悩む沖縄県の食についてご紹介したい。

ここ数年、東京都内では「ステーキ戦争」と呼ばれる、いわゆる米国スタイルの高級店がしのぎを削っている。主戦場は六本木。大きな鉄板を囲む「ステーキハウス・ハマ」や、カニのしゃぶしゃぶも捨て難い「瀬里奈」といった老舗を押しのけ、二〇一四年に「ウルフギャング・ステーキハウス」が星条旗を担いで上陸した。大人数で熟成肉を囲む楽しさはまさに至福の時間。お店のお姉様にすすめられてロブスターなど追加注文をすれば、支払い時の驚きも倍増する。対抗馬は二〇一七年に開店した「ベンジャミンステーキハウス」と「エンパイアステーキハウス」。いずれも牛のマークが印象的だ。

さらに六本木から車で移動することおよそ十分。「ルース・クリス・ステーキハウス」虎ノ門店も、ゴージャス感が漂う。筆者はこの店で肉に酔ってしまい、思いっきり赤ワイングラスを倒して自らワイシャツを真っ赤に汚して、帰宅時に妻から「殺人事件か?」と呆れられた。

さて、沖縄に話を戻そう。同県の食文化は、戦中・戦後を通じて米国の影響を強く受けたと言われ、市街地を中心にステーキ屋が立ち並ぶ。元県知事の故大田昌秀先生に連れていっていただいたのが、一九五三年創業の老舗「ジャッキーステーキハウス」。筆者は、先生が主宰する「沖縄国際平和研究所」を度々訪れ、歴史、経済から国際政治等のお話を拝聴した。午前中に訪問し、およそ一時間半程度の談義が終わる頃になると、先生は秘書を呼ばれ「昼に予約していたマッサージをキャンセルして」と言い残し、ジャッキーへと移動。

「あら、先生。いらっしゃい」。まずはオリオン生ビールとタコスが並ぶ。そして上手にカットされた「テンダーロインステーキ」へと続く。鉄板が熱いうちに「ジャッキーオリジナルNo.1ソース」をたらすと、軽い酸味が拡がりさらに食欲が刺激される。ジャッキーと比較されるのが一九五五年創業の「ステーキハウス88」。現在、関連する88ジュニア等を含め県内に一四店舗を構える。牛の形をした鉄板が印象的。88でもオリジナルソースが肉の旨みを引き立てる。

最近の沖縄出張で体重増の主因となったのが、新進気鋭の「ステーキヒカル」。二〇一七年、松山交差点から徒歩一分という好立地に開業したが、開店直後は周囲にライバル店が林立していたこともあって閑散としていた。しかしながら直近の再訪時には、入店前に外で待たされるほどの盛況ぶり。しかも時間帯は、いわゆる三軒目。沖縄では当たり前のように、最後にステーキを食べて就寝するという「〆ステーキ」習慣が定番化している。

この店の売りは豪州産和牛。とにかく柔らかい。ステーキ屋で邪道と言われるかもしれないが、牛一〇〇％ハンバーグも箸休めにちょうど良い。是非、各種頼んで、少しずつつまみたい。ちなみにサラダ、スープ（二種類）、ライスはセルフでお代わり自由。気分は学生時代へと舞い戻る。

昼はソーキそば、夜はステーキ。オリオンビールと泡盛で乾杯。コロナ前の生活に戻るのは難しいと分かっていても、食への欲望はなかなか消えるものではない。活字だけでも肉、肉、さらに肉を楽しんでいただき、今はステイ・ホーム。一日も早いコロナの終息を祈るばかりである。

２０２０年８月10日

コロナ患者を受け入れる

ここ岐阜にも、新型コロナウイルスの第二波が到来した。私ども朝日大学病院では、七月二十日（二〇二〇年）より入院受け入れを再開した。右肩上がりに増加する県内発生例に対して七月三十一日、知事は県独自の「第二波の非常事態」を宣言した。

◇

二〇二〇年四月、岐阜市内の夜の街（美川憲一の「柳ヶ瀬ブルース」〈一九六六年リリース〉で有名な地区）でクラスター発生した患者を受け入れるため、当院内のワンフロア四二床の病棟内を、医療スタッフ、医薬品や三度の食事を運ぶための動線と、患者が移動する動線を突貫工事で明確に分離。結果的に二六をコロナ専用床とし、一六を完全休床とした。

当院には「感染症科」があるわけではないため内科系、外科系の医師が連携し、手分けをして入院患者の主治医の割り振りを行った。いつ患者が入院して来るか分からない。若手医師の中には「まるでロシアンルーレットのようだ」とつぶやく者もいた。

侵襲的な手術や検査は、感染のリスクを高めるという理由で自粛が続いた。気管内挿管や抜管という医療行為は、飛沫感染のリスクを高めることから、その対策について麻酔科専門医による検討が重ねられた。

救急外来の看護師や、病棟看護師の配置にも気を遣った。それぞれの家庭の状況や要望等を聞き入れながら、勤務配置を調整した。諸検査を担当する臨床検査技師、放射線技師も、もちろん感染のリスクは高い。感染疑い患者とのファーストコンタクトは事務職員の仕事となる。目に見えない敵を相手に、スタッフの緊張は高まった。

当院の第一波患者がすべて退院したのが五月十日であった。いずれ来るであろう第二波、第三波に備えて、動線区画を撤去せずに四二床を事実上の休止病棟とした。本来であればこの病棟で勤務するはずの看護師を他病棟へと移動させた。他病棟では一時的に看護師数過剰となるが、それに伴って当該病棟の入院患者は増えなかった。「あの病院はコロナの患者を受け入れているのでは？」といった不安から、外来患者や人間ドックのお客様の受診抑制がかかったことが主因と思われた。

筆者は毎週金曜日に整形外科で外来診療を行っている。受診者は七十代から九十代の患者でほぼ占められている。雨が降っても、三五度を超える酷暑下でも通院し、急に来院ができなくなると診察室まで丁寧に電話をかけてくる方も少なくない。

「先生、今日は朝起きたら腰が痛くて動けないです」、「痛いのであれば、すぐに来てください。救急車を呼んででも」、「やだ、恥ずかしい。近所の手前もあるし。もらった薬があるので、それを飲んで様子をみます」――。漫才のようなやりとりがさらに続く。「今日、○○さんは来ていますか?」、「患者の秘密ですので、誰が来院されているかお答えできません」、「もしも来ていたら伝えてください。診察の帰りに喫茶店へ行く約束をしていたので」、「私の仕事ではないので、看護師さんに代わりますね」――。もちろん看護師の仕事でもない。

こんなやりとりができる関係の患者も、さすがにコロナの第一波来襲時には警戒して「先生、流感(流行性感冒)が心配なので」と申し出られ、毎週の通院を二週間に一回に減らした。

実質、外来・入院患者数共に減少し、医業収入は減少。感染対策に要する施設・設備費、材料費等の支出は増加し、通常の人件費に危険手当も加わり、大学病院の経営状態は億単位で悪化。コロナ患者を受け入れた病院の方が収益悪化が顕著という実情は何とも皮肉である。病床が空いているからと値下げセールを打ったり、玄関前で客引きなどできない業種業態としては、心身共に辛い日々が続いている。

2020年8月24日

高校野球・初の交流試合

隣の席とはソーシャルディスタンシングをとって。応援は拍手で。観客上限五千人まで——など厳しいルールの下で、神宮球場へ巨人対ヤクルト戦を観に行った。

入場の際は、前の人との間隔を保ちながら並び、一人ずつサーモ・モニターによる体温測定を受ける。ここをクリアするとアルコールによる手指消毒。そして手荷物検査、次にマスクを着用しているかの確認。最後に、球場内でクラスター発生した場合の連絡先として、チケットの半券に氏名と連絡先を記入し、これを自らちぎって指定のボックスに投入すると入場完了。係員とは極力接触しない態勢が敷かれていた。

コロナ禍とプロ野球について、「テレビ中継を見ていると外野席はガラガラ。まるで数十年前のパ・リーグの試合を思い出す」と前述したが、球場内に入ってみると五千人が内野席から外野席まで、最前列からスタンド最上段席まで均等に振り分けられ、皆、上品に座っているという見慣れない光景が広がっていた。

飲食以外ではマスク着用を命ぜられ、定期的に警備員が見回り、マスクをしていない人を細かく注意していた。かく言う筆者も、ホットドックを食べ終わった後の蒸し暑さでついついマスクを外していたところ、すぐに注意を受けた。

大声禁止。鳴り物もメガホンを叩く程度。球場内には投手が投げ終わった際に発する気合いの入ったかけ声やキャッチャーミットの捕球音、バットの打球音など、まさに野球の原点とも言える音が響き渡る。「ヤジの無い野球っていうのもいいもんだな」後ろの席から、そんな声も聞こえた。

◇

高校野球の聖地・甲子園球場では、八月十日から十七日まで（二〇二〇年）初の交流試合が行われた。新型コロナウイルスの感染拡大に伴い中止された春の選抜大会に選ばれていた全三二校が招待され、わが岐阜県からは名将・鍛治舎巧監督率いる県立岐阜商業高等学校（県岐商）が出場を果たした。

夏の大会の中止が発表されたのが五月二十日。その後、交流試合の開催が決定したのが六月十日。七月八日のオンライン抽選会で、県岐商は大会二日目に大分県の明豊高校と対戦することが決定し、ここに照準を合わせて練習を再開したところ、七月十九日に日本初の高校内クラスターが発生。部活動だけでなく全学休校となり、県もその対応に追われた。鍛治舎監督の前任校が熊本県の秀岳館高校であったことから、明豊の川崎絢平監督とは旧知の間柄。「高野連にかけ合って、試合を最終日に変更してもらっても」と、県岐商の混乱を気遣ったと聞く。

県岐商の古田憲司校長から話を聞いた。高野連からバス一台が提供され、校長またはそれに準ずる者一名と監督、指導者、部員で三〇名以内の乗車が許された。応援には現役部員と、部員一名に対して五名までの親族、指導者の親族、そして現職の教職員の同行が許され、アルプススタンドではなく、内野席スタンドに陣取るよう指定された。

県岐商は七台の応援バスをチャーターし、座席間のシールドなどコロナ対策を徹底して乗り合わせたが、親族の中には医療関係者もいて、「息子の甲子園を応援に行ってコロナに感染、あるいは他人にうつしたというわけにもいかない」と、自らハンドルを握って自家用車で甲子園を往復された方もいたという。試合は二対四で県岐商が敗れた。高野連から一泊の宿泊を提供されたが、秋の大会も近いことから感染のリスクをできるだけ回避して、日帰りで岐阜へと戻った。

決して「野球だけが特別」などと言うつもりもないが、球児にとって忘れられない夏となったであろう。

2020年9月14日

サージカルマスクがお勧め

「コロナ禍」に関するコラムを書き始めたのが、二〇二〇年四月二十七日号から。あれから半年が経過したが、未だ予断を許さない。去る十月十九日、本学歯学部との間で学生の相互短期研修を行っているイタリアのシエナ大学の国際交流担当者から、こんなメールが届いた。

「本年五月のロックダウン以降、夏の期間中はさほど新型コロナウイルスの感染はひどくありませんでしたが、今はまた、感染者の莫大な増加による感染率の上昇を抑え込むための新たな規制が始まりました。ヨーロッパ諸国、特にフランスやチェコでは、ここ二日間、記録的な数字で感染者が増加しています。今年度の学生交流は延期せざるを得ず、来年の再開を期待します。すばらしいプログラムに相互で派遣を予定していた日本人学生にもイタリア人学生にも、私は申し訳なく思っています。しかし事態は長引いており、一日も早く予防ワクチンができることを信じるだけです。」

日本とはやや縁遠いせいか、チェコ共和国の感染者増というのは初耳であった。いずれにせよ、ヨーロッパに今春の第一波を上回る第二波が襲来した。おそらく多くの大学でも、海外留学を計画している学部学生、あるいは大学院生が、渡航を断念せざるを得ない状況下にあるのではないだろうか。

振り返ってわが国の現状だが、今のところ爆発的増加は見られていない。ここ岐阜県では、PCR検査で陽性と判定された患者は、無症状であっても原則、指定病院での入院加療を指示される。家族内感染をできる限り防ごうとする施策で、当該医療圏のコロナ病床に余裕があるのであれば、自宅療養よりも患者、その家族、治療にあたる医療者、そして地域社会にとって「三方よし」ということになる。

私どもの朝日大学病院でも、無症状から人工呼吸器・ECMO導入直前までの中等症患者の受け入れを行っている。個人的に知り合いの方が入院されても病棟へ「お見舞い」にも行けず、軽快退院との知らせを受けると、ホッと胸をなで下ろす日々が続いている。退院日には、病院玄関前でお見送りをさせていただくこともあるが、安堵感とともに「あの方は新型コロナウイルスの抗体を持っているんだ」などと、トランプゲームで最強のカードを持っている人を見るかのような視線を送っている自分がそこにいることに気付く。

そんな中、東京大学医科学研究所の河岡義裕教授らのグループが、興味深い研究結果を発表した。「新型コロナウイルス対策としてマスクを着用すると、ウイルスの拡散を抑える効果と、吸い込むウイルスを減らす効果の両方の効果がある」というもので、実際のコロナウイルスを使った実験で確認された（十月二十二日ＮＨＫ報道より）。筆者が注目したのは、吸い込む側だけがマスクを装着した場合、吸い込んだウイルスの量は布マスクで一七％減り、一般的なサージカルマスクでは四七％減少、Ｎ95型の医療用マスクを隙間なく着けた場合には七九％減少した。一方、飛沫を出す側だけにマスクを着けた場合、ウイルス量は布マスクとサージカルマスクのいずれでも七〇％以上減ったという点。

ロックダウン前夜のイタリアの報道写真を見ると、パンテオン神殿前広場のレストランの屋外席に座って談笑する客は、誰一人としてマスクを着けていない。空気がより乾燥する冬を前に、あらためてマスク装着の重要性を認識するとともに、手作りの布製マスクの高いデザイン性やリユースできる点などを決して否定はしないが、「自分は新型コロナウイルスにかかりたくない」というのであれば、一般的なサージカルマスクの使用を強くお勧めしたい。一方、政府には医療現場を含めて、引き続き安定的なマスクの供給体制の確立をお願いしたい。

2020年11月9日

大学評価の「実地調査」をZoomで

新型コロナウイルス感染症の影響は、大学の機関別認証評価にも影響を及ぼしている。筆者は、(公財)日本高等教育評価機構の評価員として、本年度(二〇二〇年)も受審大学の評価を担当させていただいている。平成三十年から新しいシステム(通称：第三クール)で評価を実施しており、三年目となる今年度は、四二大学が認証評価を、一大学が再評価を受けている。

コロナ禍において、評価を行う上で最も大切にしてきた「実地調査」をどのように実施するか、種々議論があった。令和二年五月八日付で文部科学省高等教育局より、各認証評価機関に対して「新型コロナウイルス感染症の影響に伴う認証評価の運用について」という事務連絡があった。当時、各大学に対して、「最低七割、極力八割程度の接触機会の低減を目指す」ため、可能な範囲で出勤者七割削減を実現するよう要請を行っていた。

そのため、認証評価にかかる各種手続きについて、①受審校からの自己点検評価書等の提出期限、提出方法、審査日程等について可能な範囲で柔軟に対応するよう、②通常八月以降に実施されている実地調査について、調査時期の後ろ倒しのほか、対面による調査の最小化(書面調査やオンライン会議での面談を実施する等により大部分を補い、最小限の日程や体制で行う等）を検討するよう、③各大学がコロナの影響で新学期開始の後ろ倒しや遠隔授業の実施等、通常と異なるスケジュールおよび手法による教育が行われている状況を十分に配慮した上で、適切な認証評価を実施するように、とのことであった。

これを受けて、ちょうどコロナの第二波が見え始めた七月に、評価システム改善検討委員会が開催され、委員として参加した。委員会自体も、Ｚｏｏｍによるオンライン開催となった。主な審議内容は、コロナへの対応を踏まえた認証評価の実施について、であったが、実地調査を中心に今年度の評価作業はオンライン会議で進めていく方向が示された。

例年七月上旬に対面形式で開催していた評価員セミナーは、七月後半から八月にかけて動画視聴による研修となった。次に、大学ごとの評価チーム内の情報共有は八月後半にＺｏｏｍを用いて行われた。評価メンバーは筆者を含め五名。団長に指名されたが、チーム内の初任者は一名のみで、事務局の綿密な支援もあってスムーズに評価作業を進めることができた。基準項目ごとの細かな評価は、Ｚｏｏｍ会議前後にチーム内でメール会議を繰り返すことで、より精緻に行えた。

筆者の担当校の実地調査は十月下旬に、Ｚｏｏｍで行われた。筆者を含めて、すべての評価員が職場から、すなわち各大学からＺｏｏｍに接続していた。この時期になると、評価員が所属する大学、また受審大学でもリアル・遠隔を含めて後期の授業が再開され、学内の通信量が七、八月時期と比較して急速に増大。その結果、評価員、受審校双方の通信状態がしばしば不安定となった。これまでZoom会議で一度もフリーズしたことのなかった筆者のPCも、実地調査中に止まってしまい、初めてつなぎ直しを経験した。幸い周囲の迅速なサポートにより、調査自体に迷惑をかけるまでには至らなかった。

年度初めには、「認証評価では、実際にその大学を訪れてみての肌感覚が大事。それができないなんて……」といった意見もあったが、限られた環境下で、できる限りのことをやる、そんな思いが受審校と評価チームの双方から感じられた。あくまでもピアレビュー（同じ専門領域をもつ同業同士による評価）であるという信頼関係があってこそのこと。評価作業は基本的に年度末まで続くが、まずは無事に実地調査を終えられたことを、すべての関係者に感謝したい。

２０２０年12月14日

もしもコロナに感染したら

あけましておめでとうございます。年末年始はどのように過ごしたでしょうか？　筆者は基本的にステイホーム、と書きつつも、本原稿は昨年（二〇二〇年）の十二月二十日現在ということで、ご笑読ください。

◇

第三波は想像以上に大きかった。筆者の周囲でも「来週、ご挨拶に伺おうと思っておりましたが、実は……」と新型コロナウイルス陽性となった者、「先週の会食のメンバーの中に陽性者がいて」濃厚接触者となった者など現れ始めた。十二月上旬の段階で、「東京都内ではおよそ三〇〇人に一人が感染」と聞くと、大学でいえば大教室に一人から二人程度、高等学校でいえば一学年にやはり一人が感染を経験した計算となり、かなりの身近感が出てきた。

かく言う筆者も、九月下旬に三重県伊勢志摩で開催された勉強会に参加。隣県ということもあって大学の公用車で移動したが、復路、急に「せんせぇ～。もしも車で来ているなら、乗せてもらえますか？」と頼まれ、企業経営者四名をお乗せし、名古屋駅太閤口（通称：新幹線口）までお送りした。車内は何となく密。窓を少し開けつつ、一応、全員マスクを着用。しかしながら二時間の道中では経済談義に花が咲いた。

名古屋駅で降ろした四名のうち一名が四日後に発熱。都内でPCR検査を受け、翌日に陽性が判明した。筆者に連絡が入ったのは、保健所による聞き取り調査が済んで、入院措置が落ち着いてからであった。保健所の判断では、伊勢志摩から名古屋へ移動する車内で皆、マスクをしていたので「濃厚接触者には当たらない」とのことであった。

しかし、だ。その連絡を受けた途端に、身体の芯がどこか熱っぽいような感じがし始め、咳は出ないものの、喉が渇いて痰が出にくいような気がしてきた。二時間長考した末、本学の大学病院に連絡。「濃厚接触の可能性が否定できないので、PCR検査をしてほしい」と頼んだ。夜七時を回っていたが、当直の医師と臨床検査技師が対応し、すぐに検体採取となった。鼻から綿棒ゴシゴシを初めて経験し、くしゃみと共に大粒の涙がこぼれた。待つこと一時間弱。結果は陰性であった。

そんな経験から、前段のような連絡あるいは相談を受けると、環境が許せば可及的速やかにPCR検査を受けることをお勧めしている。十二月に入り、都内を中心に民間の自費検査が拡がった。精度に課題もあると聞くが、唾液検査で一九八〇円からというのは驚き。症状があれば当然、保健所の指示に従うこととなるが、「疑い患者」の急増に伴い行政検査が後手に回っている側面も否めず、春先から言われていたように検査件数を増やすことで、会社や学校、家庭内感染を防止し得ると考える。

それでも感染は突然やってくる。感染患者が急増している地域では、軽症あるいは無症状者は基本的にホテルでの療養を指示される。早ければ検査結果が出た翌日には収容となる。

朝夕の体温測定を義務づけられるため、今のうちからできれば家族分の体温計を用意しておきたい。マスクや携帯電話の充電器を忘れる人は少ないと思うが、ホテル療養の経験者からは、部屋が乾燥していて加湿器が欲しい、ジュースが飲みたい、味噌汁が飲みたいという声も聞かれ、「療養セット」を作って準備しておきたい。配給の弁当は食中毒予防のため揚げ物が多く、食物繊維が不足しがち、という体験談も。

コロナで急変するケースの多くは肺炎の悪化である。ホテルから病院搬送となる目安は、血中酸素飽和度である。そこで、指先で酸素飽和度を計れるサチュレーション・モニターを用意しておけば、安心度はさらに高まる。何はともあれ、読者の皆様のご健康を心よりお祈り申し上げます。

２０２１年１月11日

学生への集団接種を決定！

去る六月三日（二〇二一年）、日本私立歯科大学協会の定例理事会が開催された。このコロナ禍で今回もZoomでの会議となった。歯学部生に対して、各大学がどのようなコロナ対策を講じているのか？　一理事として、本学を除く一六の歯科大学・歯学部の状況を尋ねてみた。すると在京の大学を中心に、病院実習に出ねばならない五・六年生に対してワクチン接種が進んでいることが分かった。

歯学部のみならず、看護学科、歯科衛生士専門学校を有する本学において、ワクチン接種が進んでいない現状に焦った筆者は、同理事会終了後、すぐに事務局長を呼び、情報収集に努めた。本年二月十六日付で、厚生労働省健康局健康課長名で各都道府県衛生主管部長宛てに発出された「接種順位が上位に位置づけられる医療従事者等の範囲について」が、学生への接種を後押ししていた。四カ月前にこの文書が回っていたことは記憶していたが、「医学部生等の医療機関において実習を行う者については、実習の内容により、新型コロナウイルス感染症患者に頻繁に接する場合には、実習先となる医療機関の判断により対象とできる」とあり、「等」の範囲について自分の理解が浅かったことを猛省した。

早速、同日夜に県知事に打診。翌四日早朝、医療従事者へのワクチン接種を経験した附属病院事務長と打ち合せをした後、昼に県庁へ出向き、ワクチン業務を統括している副知事と面会。医療系学生への先行接種について陳情した。当時、県は高齢者に対するワクチン接種を加速化させるため、老朽化に伴い閉館した産業会館に大規模接種会場を設置して、翌週末の十二日から毎週末、三週間にわたる接種の準備を進めていた。「先生のお申し出は理解しました。高齢者がある程度進めば、市民の理解も得られやすくなります」ということで、三週目の六月二十七日の接種後、すなわち二十八日から同会館を使って接種を行うことで調整が進んだ。

副知事はさらにこうたたみかけた。「問診を担当する医師をはじめ、医療従事者の確保に県も難渋しています。朝日大学でご準備できますか？」と。とにかく学生への先行接種を進めるため「大学の附属病院から医師、歯科医師、看護師を回します」と即答した。すると「朝日大学の学生さんだけ、というわけにもいきません。県立の看護大学もありますし。県内の医療系学生をすべてお願いできますか？」と。筆者は快諾したが、同行した事務局長は、これから舞い込むであろう膨大かつ煩雑な事務作業を思い浮かべて渋い表情をしていた。副知事は笑みを浮かべて「うちの担当者を呼びます。実務は局長さんと進めていきましょう」と。

ここから県の動きも速かった。翌週十日には、知事が産業会館の準備状況を視察するということで、われわれ朝日大学にも声がかかった。知事はメディアを入れて、岐阜県病院協会の会長と筆者を従えて各ブースを回りながら、いかに効率の良い動線とするか？　接種後の急変に対してどう対処するか？　救急隊を呼んだ際にはどこから搬出してどこの病院で対応するか？　など、ワクチン接種を通じて起こりうるリスクについて議論した。

一方、事務局長は医療系学部を有する大学、専門学校ごとに連絡。学校単位で希望者を取りまとめて申し込んで欲しいとお願いした。その最中にも県の担当者より「○○専門学校さんにもお声がけしていただけませんか？」など追加指示が飛んだ。集団接種の実施に向けて、事務局長の眠れない日が始まった。

２０２１年７月26日

学生への集団接種を実施

今回は「学生に早期にワクチンを接種して、病院や介護施設での実習により安全に出してあげたい」と考えた筆者が、岐阜県知事に陳情したことで始まったワクチンの先行接種について紹介する。対象は岐阜県内の医療系大学・短大・専門学校一二校で、対象者は三一五二名。これを二〇二一年六月二十八日から三日間で実施した。県が会場と誘導スタッフ、ワクチンならびに医療機器・消耗品等を準備し、オペレーションは朝日大学に任された。

朝日大学病院の医師が問診を、医師・看護師が救護室を担当。歯学部所属の歯科医師が注射を、歯科衛生士が介助を担当。ワクチンの分注作業は看護学科の教員が担当した。会場内だけでなく、待合室も密にはできない。被接種者の学校単位での取りまとめ、日程の割り振り等を本学事務局長が指揮した。接種券が届いていない学生を対象とした接種とあって、その作業は驚くほどアナログである。IT後進国であることを実感した。経験した課題の一部を列記する。

□レーンの構成

被接種者をどう効率的に回すか、集団接種最大のテーマである。半日で約五〇〇名を回すため、問診医師三名、注射を担当する歯科医師六名を配置。接種を待つ学生の列はフォーク状に並べた。

「重度のアレルギーや、過去のワクチン接種で副反応が強く出た既往のある者は集団接種向きではない。後日、自治体が案内する個別接種を勧める」ことを前提とし、各校ごとに事前に学校医等に問診票をチェックしてもらった。その結果、当日の問診医の負担が軽減された。しかし問診票への医師確認サインは直筆か、フルネームのハンコと三文判の押印というルールが崩せず、問診の開始時点で、医師一名あたり一〇分間で一〇名。開始一時間後で一二名というペースで進んだ。

□接種後の観察

接種直後から起こりうる迷走神経反射、接種後一五分から三〇分以内に起こるアレルギー反応について、集団接種では観察の目が充分に行き届かない。そこで各学校の引率教職員にも接種会場に入ってもらい、自校の学生の巡視・積極的な声かけをお願いした。

□急変の対応

全体のおよそ一％程度が接種後の気分不快等を訴え、会場内の救護室で一時収容した。接種者全体の八割が女子学生であり、救護室に収容された学生はすべて女子であった。接種直後よりも、その後の経過観察中に突然手にしていたスマホを落とし、そのまま椅子から転がり落ちる者、手足を小刻みに痙攣させながら意識を混濁させる者など過換気症候群に陥る学生が現れ、かつそれが連鎖し、医療スタッフを困惑させた。その多くが接種前から強い不安を感じていた、あるいは睡眠不足や朝食抜きの空腹状態であった。ワクチンに関する正しい理解、事前の体調管理、そして接種後は適度に水分摂取を勧める等の対応が必要と思われた。

□端数の取り扱い

モデルナ社製は一瓶から一〇回分のワクチンを採れるが、未使用のまま破棄せぬよう端数の扱いに悩まされる。当日のキャンセル者数を見ながら、午後三時を過ぎると、想定される余剰数分の本学事務職員を会場へ呼び出す。すべての予定者の接種後に、本学職員に接種することで、用意したワクチンのすべてを使い切った。

四週間後に二回目接種を予定しているが、一回目の接種で体調を崩した者は、二回目を自主的にキャンセルする可能性が高い。二回目終了後、手元に残ったワクチンをどのように取り扱うか、国から明確な指針は示されていない。世間ではワクチンの供給不足の声も聞かれる。さまざまな課題を抱えつつ、七月二日より朝日大学内で四千名に対する大学拠点接種を開始した。

2021年8月9日

大学拠点接種をスタート

前項では、岐阜県が設置した集団接種会場において、県内の医療系学部・短大・専門学校生を対象としたワクチン接種を、私ども朝日大学がオペレーションして一回目の接種に臨んだ話を紹介した。これを二〇二一年六月三十日に終え、一日空けて、七月二日より学内の体育館において大学拠点接種を開始した。

本学の医師・歯科医師をはじめとする医療従事者は、附属の医療機関において三月から四月にかけて接種を終えていた。大学拠点接種を申請する段階では、前述の医療系学生に対する先行接種が決定していなかったため、全学生、医療従事者を除いた教職員、全教職員の家族を対象者として計上し、計四千名で申請した。内閣府がいわゆる職域接種を発表した直後に申請したため、モデルナ社製ワクチン四千名分が供給された。七月二日からの接種開始は、ここ東海地方では三重大学と共にトップを切ることとなった。

接種会場の設営にあたってはいくつかの旅行会社から申し出を受けた。中学や高校の修学旅行ではあるまいし、なぜ旅行会社が？　と問うたところ、「自治体の接種会場づくりで実績がある」

とのことであった。このコロナ禍でダメージを受けた旅行業界のために昨秋Ｇｏ　Ｔｏキャンペーンを打ったが、これが不発に終わり、どうやらＧｏ　Ｔｏワクチンへ乗り換えた模様。どの業種も生き残るのに必死ということか。これらのオファーをやんわりと断り、本学の健康管理センター長が中心となって、県の集団接種会場のレイアウト等を叩き台にしながら、入学式等の学内イベントをサポートしてくれている地元業者と知恵を出し合い、さらに効率的な動線をつくり上げた。

さて、当初は大学等における職域接種と呼ばれていたものが、ワクチン供給が決定した頃から、大学拠点接種という名称に変わり、接種対象を地域住民へと拡げていくよう要請された。本学としてもその意向を持っていたため、すぐに対応した。

およそ一週間にわたって三九九五名の接種を完了し、事故シリンジとして五本を計上した。内訳としては学生一二八七名、教職員・その家族七三七名。近隣の小中高等学校・幼保の教職員八八五名、産学連携関係にある県内企業・学内出入り業者九九〇名、学内に設置した総合型地域スポーツクラブ・県スポーツ協会等の団体職員七八名。そして文部科学省を通じて依頼があった海外留学予定者一八名。結果的には十分に地域貢献を果たせたと考えている。

これから接種を計画している方々にお伝えしたい。接種日当日になって、体調不良等を理由としたキャンセル、また当日の医師の問診により接種を見送るというケースが発生し、その数は接種規模が大きくなるほど、実人数が増す。

一方、バイアルから注射シリンジに薬液を引く過程で、また注射を打つ際に針とシリンジが外れて薬液が溢れ出るケースなど、いわゆる事故シリンジが発生する。モデルナ社製の場合は、事前に解凍をして一バイアルから一〇名分のワクチンを採ることができ、注射シリンジに引いてしまうと適切な温度管理をしながら六時間以内に打たねばならない。最後の一本までしっかりと打ち切るためには、その日の進捗状況を見ながら、残量に見合った接種希望者を毎日五～一〇名程度、バックアップとして待機させておく必要がある。

接種会場によって、国から供給される注射シリンジのメーカーが異なり、針の切れ味、また内筒を押した時の硬さに違いがある。大切なワクチンを無駄にせぬよう、これからワクチン接種に取り組む大学ではどうかご留意いただきたい。

2021年8月23日

集団接種の経験を地域社会に還元

二〇二一年六月末には本学を含む県内の医療系学生三千名超に対するワクチンの先行接種をオペレーションし、七月第一週には、本学内で四千名を対象とした大学拠点接種を実施した。これらの経験を地域社会に還元すべく、県内企業での職域接種への支援を開始した。筆者がトップセールス役として、企業や各種団体のトップからワクチン接種の要請を気安く引き受けてくると、事務局長が実務のすべてを対応してくれた。

各社から受けた相談の一つは、内閣府へ提出する職域接種の申請方法である。たとえば三千名の接種について、何日間かけて、医師・看護師・事務職員を何名投入したらよいのか。接種レーンとはどんなもので、どう設定したらよいか等々。ここまでの経験から、レーンごとの一時間あたりの被接種者数、これに関わる問診医師、注射の打ち手、薬液を注射筒に分ける担当者、書類確認を行う者、経過観察ならびに急変に対応する者の人数を係数化して標準的なモデルを示した。

次に多かった相談は、接種会場作りである。本来であれば各社の産業医を中心に進めていくべき案件だが、集団接種を管理運営した経験のある医師もそう多くはない。結果的に、事務局長を中心とする本学のワクチン接種チームが各企業に出向いて、動線作りの助言を行った。一フロアで完結できる、あるいは複数の部屋を回りながら進めるなど企業によって事情はさまざま。とにかく接種を受ける者の動線が滞留せずに一筆書きとなること、すなわち被接種者が戻るような動きを発生させないことに拘ってアドバイスした。

ワクチンの供給が決定すると、医療従事者の出番表を作ることになるが、産業医の個人的なつながりだけで全日程をカバーすることはほぼ不可能である。筆者は震災等での医療ボランティア活動にも参加してきたが、特に医師はプライドが高く、また個性的な方も多く、自分のやり方を通そうとする。急造の寄せ集めチームでは指揮・命令系統が曖昧となる。この問題を少しでも改善させるには時間をかけて丁寧に説明を重ねていくか、あるいは医学部における講座制、同じ大学出身や同じ病院で働く上下関係といったヒエラルキーを上手く利用することである。本学へ相談に来られた企業については、基本的に本学附属病院の医師、歯科医師、看護師をセットで派遣し、必要に応じて事務職員も随行させた。

こういった新規プロジェクトを立ち上げる時にいつも感じることがある。いつ、どこで、どの程度の規模感かを検討していく際、事前に用意された資料や机上での議論を通じて、プロジェクトが立体的に立ち上がって見える者と、そうでない者がいる。前者の能力を有する者からは、発生し得るリスクやそれを未然に防ぐ策など建設的な意見が上がり、問題解決へと近づく。「想像力」とか「先読みの力」とも表現されるが、こういったスキルは教室内での学習のみで培われるものではなく、学園祭の実行委員長や、野球やサッカー、ラグビーなど集団スポーツでの経験を通じて形作られていくように感じる。

一方、後者からはやらされている感がにじみ出て、負のオーラすら見える。今回も学内でワクチンチームを組むにあたり、この新規プロジェクトを安全に遂行しようという強い使命感を持ち、かつ前述の「想像力」や「咄嗟の判断力」を有し、報告・連絡・相談の習慣が身についている者を組織横断的に選抜した。

大学は単に研究や学生教育だけを行う場所にとどまらず、社会との接点を作り、連携していく機会が増している。教職員皆が三割三〇本（塁打）三〇盗塁するようなスター選手とまでいかなくても、個々が有する能力を適切に引き出して活用していくことが求められている。

2021年9月13日

PART 6

決してあきらめない

コロナ禍の東海道新幹線車内

オンラインでの英語弁論大会

去る十一月二十八日(二〇二〇年)、朝日大学が主催する高等学校英語弁論大会を無事に終えることができた。

岐阜歯科大学として創立した本学が、一九八五年に経営学部を開設し、校名を現在の朝日大学に変更。これを機に、「国際未来社会に貢献し得る有為な人材の育成」という建学の精神に立脚し、高校生を対象とした弁論大会をスタートさせ、三六回目を迎えた。

今回は、年度初めよりコロナが拡がり、大会自体を開催するか否か、学内でも議論が割れた。毎秋に開催される高円宮杯全日本中学校英語弁論大会が五月の段階で中止と発表されたことで、本会も中止濃厚となった。大会開催時期に感染の波が高いのか、低いのか。高校生を集めてクラスターが発生したらどうするのか。それ以前に、部活動もままならない学校生活を過ごしている高校生が弁論大会に向けて準備ができるのか。本学内で議論を重ねたが、結論には至らなかった。

筆者の専門である医科系の学会がオンライン開催となり、また講演会等がパスワード等を用いて参加者を制限しながらのウェビナー形式を採用していることを参考に、最終的には学長判断で

「オンライン開催する」ことで決定したが、そのイメージを学内教職員と具体的に共有するのに苦労した。

夏休み明けに各高校へ案内したところ、予想以上の反響があった。結果的には三六校六五名の応募があり（昨年度は一一一名が応募）、書類審査を通過した一七名に、発表動画を提出してもらった。

大学側は、提出された一七本の発表動画をつなぐとともに、オープニング時に流すビデオを作成した。防音構造になっている本学吹奏楽部の練習室内で、英語科教員二名に大会の概要や当日のタイムテーブルを英語で説明してもらい、これを撮影。この映像に後日、CGをはめ込んだ。

大会当日は、朝九時三十分からオープニング映像に引き続き、編集済みの一七本の発表をオンラインで配信した。発表者、その家族、各高等学校関係者らがそれぞれの場所からネット上で視聴。審査員のみが本学に集合して、配信と同時並行して審査を行った。

正午過ぎから審査員が本学の大教室の壇上に並び、結果をリアルタイムで配信した。表彰式の進行もすべて英語。各賞の発表ごとにBGMが流れ、エントリーナンバーと氏名が読み上げられる。雰囲気はまるでアカデミー賞の授賞式だ。本来であれば各生徒が登壇し、表彰状を読み上げて手渡しするが、今回はオンラインのため、授与者はカメラに向かって読み上げ、その後、賞状をカメラに向かって掲げる。すなわちアップで賞状を映し出した。

各賞授与後の審査員講評では、発表内容だけでなく、コロナに負けず奮闘している高校生諸君に向けて賞賛の言葉が贈られた。発表動画の多くはスマートフォンで撮影されたようだが、発表者が教室内でスピーチをしていると、途中から吹奏楽部の練習の音色が聞こえてきたり、発表者がスピーチを終えると自ら停止ボタンを押すためカメラへ近づいてくるところまで撮られていたりする発表動画を見て、われわれの心もほっこりした。

大会を終えて、指導に携わった高校関係者から「今年度、発表の場を失っていた生徒たちを救ってくださいました」、「オンラインという新しい挑戦に、生徒も私たち教員も勇気をいただきました」といった感想が届いた。どんな苦難にも立ち向かう、高校生もわれわれも思いは同じ。すべてが新しい試みであったが、今年も英語弁論大会を開催して本当に良かった。

2020年12月28日

コロナ禍と初競り

新年の初競りが行われた一月五日(二〇二一年)、豊洲市場関係者の案内で場内を歩いた。今週末にも一都三県を対象に緊急事態宣言が発出されるとの報道により、例年ほどの盛り上がりはないものの、それでも多くの業者が「東京の台所」に集まり、新しい年の始まりを感じた。

昨秋(二〇二〇年)に市場関係者内で新型コロナが拡がったこともあり、注目のマグロの競り場への入場が厳しく規制され、残念ながら見ることができなかった。朝五時過ぎから始まった競りでは、豊洲のマグロ専門の仲卸業者「やま幸」が、青森県大間産のクロマグロ(二〇八・四kg)を二〇八四万円(kgあたり一〇万円)で落札した。

その興奮冷めやらぬ中、仲卸業者の店舗フロアを見学。当の「やま幸(ゆき)」前には関係者が集まり、右耳に黄色いエンピツをはさんだ社長が、こぼれる笑顔で応対していた。われわれはその前を通過して、同じくマグロを専門とする仲卸の「石司(いしじ)」を訪れた。競り場に多くのマグロが並ぶ中、二〇二一年に獲った大間のマグロはわずか七匹で、残りは年末に獲ったマグロを初競りのために現地で保管していたものとのこと。貴重な大間産の七匹のうちの一匹のマグロの解体に立ち会わせてもらった。刃渡り八〇㎝の鮪包丁でヒレを落とし、骨を外していく。毎日同じ作業であっても、やはり年の初めとなると、さばく側、またそれを見る側の思いも格別である。

「初モノですから是非、食べてみてください」と、赤身部分を鮪包丁で直接こそげとる。差し出された刃先に張り付いた切り身を右手の親指と人差し指とでつまみ上げ、ペロリと口に放り込む。「醤油なんかいらないでしょ?」と。確かに。舌の上で溶けて独特の甘みが広がる。解体されたマグロは銀座の寿司屋、そして京都・祇園の街へと出ていくそうだ。「これが初モノの大間か……」などと多幸感に包まれていると、伊豆下田のマグロが登場し「こっちは八丈(島)のあたりで上がったやつ」と。斜めに白色のサシが入った大トロ部分を鑑賞。すっ、素晴らしい！　の一言に尽きる。日本人で良かったと思う瞬間であった。

その後、本学理事長の以前からの買い出し先で、築地時代から仲卸業者の取りまとめ役をしている「山治(やまはる)」に寄り、社長と専務に新年のご挨拶。「これ、見てってよ」と、紹介されたのが北海道産のバフンウニ。黄金に光り輝く一品は、デカネタで有名な国内外に店舗を展開する有名寿司店の都内本館へと運ばれるとのこと。さすがにつまませてはもらえなかったが、今夜、これを肴に一献やる御仁も幸せ者だ。

しかし偶然とは恐ろしい。その夜、バレーボール関係者から一通のメールと写真が届いた。何と山治が納めたあのバフンウニが大きな舟に載せられているではないか！　「こんなに山盛りのウニを見るのは初めて」と、寿司屋から興奮した様子のメッセージ。私にも声をかけてほしかった。
　今しばらくコロナとの戦いが続きそうだ。外食産業も冷え込み、高級食材ほど取引が厳しいとも聞く。「景気の良い話と写真」をご笑覧いただき、マスクを外して美味しいお寿司を囲んで歓談できるその日まで、今しばらくの我慢、我慢。

２０２１年1月25日

大間産マグロの解体

北海道産バフンウニ

コロナ禍と夕食

新型コロナウイルス感染症の再燃、通称・第三波を受けて、ここ岐阜県にも二度目の緊急事態宣言が発出された。長く岐阜で単身赴任を続けている筆者にとっては、再びステイホームの生活が始まった。飲食店の時短営業は特につらい。お店のラストオーダーに間に合うように職場を離れるのはなかなか難しい。

学内の食堂で昼食をとる頃になると、ついつい「夕食は何にしようか?」と考えるようになった。血糖値が上昇すると発想が貧弱になるので、昼食のメニューを見ながら夕食の献立をイメージする習慣が身についた。今まで当然のように夕食を提供してくれていた妻の苦労が少し分かった。

検食と呼ばれる大学病院の患者食、コンビニの弁当やサラダ、チェーン店のお弁当屋さん、いずれも食指が動かない。ファストフードのハンバーガーなどは体重管理の観点から却下。大学から自宅までは二〇分ほどの道のり。ハンドルを握りながら考えても、決まらぬまま自宅に到着してしまうこともしばしば。そんな時は、買い置きしておいた袋麺で済ませることとなる。

そんな経験を、週一回の外来診察をサポートしてくれる看護師にこぼしたところ「スーパーマーケットに行ってみては？　お弁当だけでなく、お惣菜のコーナーなんかも充実していますよ」と。スーパーは「食材を買うところ」と思っていたが、固定概念を払拭して、早速、足を伸ばしてみた。

早々に仕事を引き上げ十七時半過ぎ。売り場面積のわりには並んでいる弁当、惣菜はやや少なく、黄色と赤の「五〇円引き」シールが貼られていた。お刺身パックなどものぞいてみたが、切り身の色が変わり、何となく表面が乾いているように見えた。結局、二品ほどを買い込んだ。

翌週の外来で看護師に礼を述べつつ、商品の少なさなどをつぶやくと「遅くても四時前までには行かないと。今は主婦層も結構買いますから。五時を過ぎたら、お店側も売れ残りを嫌うので作り足しをしません」「どこのスーパーへ行きましたか？」「あそこはダメ。最近、評判が良いのは岐阜市の東側にある〇〇。半年くらい前に店内をリニューアルして。他店にない商品構成で、隣町の人も来ているみたい」と。

岐阜市の東に隣接する各務原市での会議の帰り、午後三時過ぎに件のスーパーへ立ち寄ってみた。若手主婦（のように見える女性）から老夫婦まで、店内はにぎわっていた。鮮魚をさばくオープンキッチン。店内で焼いたパン・コーナー。その先には色とりどりの弁当、惣菜が並び、周りには人だかりが。「これがいいかな」と思って目をつけていると、二周目を回る頃には棚から無くなっていた。焦って結局、三品を購入した。買いが買いを呼んでいる。

ここ中部圏を中心に小売業を展開するバローホールディングスの田代正美会長とお目にかかる機会を得たので、その席上、三品を購入した経緯などをお話させていただいた。

現在、同グループの三本柱は食品スーパー、ドラッグストア、そしてホームセンターで、このコロナ禍によりスーパーとホームセンターの売り上げが伸びたそうだ。スーパーについては、営業時間の延長や店舗面積の拡張、それに伴う品揃え増などに努めてきたが、その潮流が変わりつつある、と。既存店を改修して、肉や魚をはじめとする生鮮に注力し、それぞれの専門店を作り、客のニーズを肌で感じながら販売できる形態にしていく、とも。筆者が訪れた後者のお店は、まさに同社の成功事例だった。

長くなったコロナ禍生活。あの織田信長公もそうであったように、美濃の地で生き延びるためには、やはり女性の声に耳を傾けるべし。

2021年2月8日

コロナ禍と演劇

このコロナ禍で、演劇や芝居といったジャンルも打撃を受けている。政府のルールでは、徹底した感染予防対策に加えて、観客上限五千名かつ収容率五〇%以下の要件を満たし、合わせて二〇時までの営業短縮要請となっている。チケット代をコロナ前の倍に値上げするわけにもいかず、結果的には感染対策に費用をかけつつ全体の運営コストを下げるか、コロナ後につなげるため赤字を覚悟で開催するか、という選択を迫られる。

若い頃から歌舞伎が好きだった妻（今も若いが……）も、「がんばっている歌舞伎を応援したい」と、二〇二一年二月某日、東京・銀座の歌舞伎座へと向かった。自宅に引きこもりコロナ鬱になりかかっていた八十八歳になる筆者の父を連れ出して、午後から世話物の「於染久松色読販」と「神田祭」を観劇。入口での検温・手指消毒は当然と思って通過したが、場内に入ると座席は一席間隔で座面が折りたたまれ、ベルトで固定されていた。

水分補給のための飲み物のみ許可され、食べ物は一切禁止。観客が一言、二言、隣席の友人にしゃべろうものなら、すぐに係員が飛んで来て、私語厳禁のプラカードを指し示すほどの徹底ぶり。

妻曰く「目をつぶると無観客ではないかと思うほど静か。絶対に感染者を出すまいという殺気すら感じた」と。それでも舞踊「神田祭」に、「(坂東)玉三郎の美しさを受け止められるのは(片岡)仁左衛門しかいない!」と興奮しながら(筆者には意味不明だが)無事の帰宅を果たした。

その数日前、筆者は第五十五回紀伊國屋演劇賞の授賞式に招かれ、新宿・紀伊國屋ホールへ足を運んだ。歌舞伎ほどの伝統と権威のない民間演劇にとっては、さらに厳しい一年となったであろう。表彰に先立ち挨拶に立たれた紀伊國屋書店の高井昌史会長は「新型コロナの感染拡大により舞台芸術業界も大きな打撃を受け、思う通りに公演をすることが困難になり、演目の差し替えや公演の中止を余儀なくされた団体も多数あった」と。しかしながら「創業者・田辺茂一の、新しい芸術創造の進展に寄与するという理念に立ち返り、この難局を乗り越えるためにも賞を中断せずに継続」させることとした、と力強く述べた。

今年度、団体賞は該当なし。脚本、演出家、俳優の計五名が個人賞を受賞した。中でも印象的だったのは、男優の岡本健一氏。筆者世代のイメージは「男闘呼組(おとこぐみ)」のメンバーで、ジャニーズ所属のアイドル。御年五十一歳を迎え、渋みも増した。今般は、新国立劇場公演「リチャード二世」における王リチャード二世の演技に対しての受賞となった。氏の初舞台は一九八九年。日生劇場での「唐版　滝の白糸」で、あの蜷川幸雄氏が演出を担当。以来三〇年の長きにわたり舞台人として活躍してきた。「昨年、なかなか上演許可が下りない状況下が続き、やっと十月に幕が開いた」と切り出し、自身主役として「絶対に賞をもらいたかった」と。

それでもコロナによる活動自粛は想像以上に大変だったであろう。初日の幕が開くまでの間、試行錯誤したという。「とにかく稽古を重ねることの大切さを実感した」「演劇は自分一人の力ではなく、やはり生のお客様に届けて、一緒に時間を共有することが醍醐味。何カ月もかけて準備をしてきて、ほんの二時間で演ずる。形に残らず、みんなの記憶の中にだけ残る究極の贅沢」と表現した。

キャパ数十人の小さな劇場などは換気も難しく、その多くが閉鎖、あるいは延期を強いられている。規模の違いはあってもこれらの文化芸術を、コロナウイルスに奪われぬよう大切に守らねばならない。

2021年3月8日

コロナ禍での卒業式

政府は三月五日（二〇二一年）、東京、神奈川、埼玉、千葉の四都県に発令している緊急事態宣言を二十一日まで再延長すると決定した。一月七日の宣言発出から二カ月半にも及ぶこととなるが、同都県では新規の患者数が下げ止まっている感も否めず、ウイルスの更なる制圧に向けては、ここからもうひと工夫、ふた工夫が必要であろう。

さて、私ども朝日大学でも卒業式を、そして来月の入学式をどのように挙行するか、日々、関係者が集まり知恵を絞っている。「先行して行われた県立高校の卒業式がどのような形で開催されたか？」「近隣の他大学はどのような方針で式典を開催するのか？」「文部科学省や岐阜県からの最新の通達はどのような内容か？」「もしも第四波が襲来した場合にはどう対処するか？」――情報収集と議論は続く。

この一年間を振り返ると、まさにコロナ対策に終始したが、昨年同時期と比較するとウイルスの正体が少し分かり、「正しく恐れる」ことが可能となった。そこで今春の卒業式については、まず、学部単位での分散開催を決定。学内の中規模教室と大規模教室を併用して、朝から、まず中教室で開催。終わり次第、理事長・学長は大教室へと移動し、次の学部の学位記授与に出席。その間に、中教室の清掃・消毒を施行。大教室での式が終わると、再び中教室で次の式が始まる。附属専門学校の卒業式を含めると、それぞれの教室で時間をずらしながら三回、合計六回の式を行う。

中規模教室での式については、学生・当該学部教員のみの参加とし、参列が叶わなかったご家族、ご来賓、法人役員等に向けてライブでネット配信することとした。一方、大規模教室については、ご家族より事前届け出制で一名のみ参列可とした。

過去に理事長と共にご招待いただいた米国タフツ大学歯学部の白衣授与式を参考にして、卒業生がご家族とともに登壇し、舞台上手で学長から学位記を受け取った後、下手へと移動。下手に用意されたバックボードの前で、学位記を抱えた卒業生、その隣にご家族、その両脇を学部長、学科長が囲んで、プロのカメラマンによる記念撮影で「パチリ」。そして降壇。撮った写真は後日、ネット上からダウンロードするシステム。このコロナ禍で、厳しい一年を過ごした学生諸君に少しでも良い思い出を作ってあげたい、という関係者一同の熱い想いを詰め込んだ。

学長職に就いて一三回目の卒業式となったが、学長就任当時、ある雑誌に近畿大学の式典改革が載っていて、是非参考にしたいと問い合わせたところ、同大学の広報室が入学式のビデオを送ってくださった。これを担当事務と供覧し、「前年度踏襲なら猿でもできる」と心の中で檄を飛ばしながら（実際に口にするとパワハラの可能性あり）、本学の式典について毎年、工夫を凝らしてきた。

音響・照明については地元のプロ業者を入れて学校特有の手作り感を払拭。学長式辞にパワーポイントによるプレゼンテーションを導入したり、新たにライブカメラ撮影を実施。海外交流校からのビデオメッセージを放映したり。式典終了後には、卒業アルバムに掲載予定の写真を事前に入手し、在学中の思い出ビデオを作成して放映。卒業生の退場では、その年度のヒット曲を大音量で流して拍手で見送ったり、と。

先代の理事長から「イベント性を高めるのは良いが、高等教育機関としての品格もある。式典は厳粛に。切り替えが必要」とのご指示もあり、これを忠実に守ってきた。が、今年はご家族とともにご登壇、というほっこりする企画に挑戦する。読者の皆様に本稿が届く頃には、本学の卒業式も終了しているであろうが、卒業生にはこのコロナ禍を乗り越えてのさらなる飛躍に期待したい。

２０２１年３月22日

留学事情　二〇二〇年五月ボストン

このコロナ禍で、学部学生に対する海外留学プログラムが提供できず、その対応に追われた大学も少なくないと聞く。私ども朝日大学歯学部も四年生までの成績優秀者から計三六名の学生を選抜し、姉妹校である明海大学とともに、米国四大学（カリフォルニア大学ロサンゼルス校、テキサス大学サンアントニオ校、アラバマ大学バーミングハム校、タフツ大学）、中国二大学（北京大学、空軍軍医大学）、フィンランドのトゥルク大学、イタリアのシエナ大学、メキシコのメキシコ州立自治大学へ、渡航・滞在に係る費用を奨学金として全額大学が支給して派遣。同様に、先方の歯学部生を両大学で受け入れるといった相互交流のプログラムを展開し、三〇年ほどになる。コロナの世界的蔓延により、昨年度、そして今年度と派遣・受け入れ共にできず、その代替措置としてオンラインによる交流会を展開している。

特にこの一〇年ほど多くの教員、ポスドクや大学院生の海外留学も支援してきたが、このコロナにより多くのプロジェクトが中止となった。そんな中、コロナ襲来直前の二〇一九年十二月に、米国ハーバード大学ならびにマサチューセッツ総合病院（ＭＧＨ）に留学した歯学部の教員が、留学生活を定期的にメールで伝えてくれる。今項から、その一部をご紹介したい。

□二〇二〇年五月

ここボストンでは、三月中旬にコロナ禍による制限が開始されました。上司に「在宅勤務すべきか？」と伺ったところ、「通勤で構いません」とのことでしたが、状況の変化について行けなかっただけかもしれません。三月十六日に出勤したところ、職場はガラガラで、在宅が強く推奨されていることを知りました。その後、トイレットペーパーや一部の食料品の不足等があったものの、現在に至るまで幸いコロナに感染することなく過ごしています。ちなみに第一波のピークは五月初旬で、日に五千人の感染が報告されていました。

□二〇二〇年十二月

マサチューセッツ州も、日本と同様に再流行にさらされております。一日の感染者数は六千を超えることもしばしばです（州の人口は日本の二〇分の一）。「米国人はマスク着用の文化がなく、着けていると余程の重病人と思われる」と聞いておりましたが、現在ではマスクを着けていない人を見つけるのが困難です。体感では九九・九％の装着率で意外と（？）守られています。マスク非装着をとがめた警備員が、逆恨みで客に撃ち殺されたというニュースが流れたことも影響しているようです。

ＭＧＨでは在宅勤務を推奨しています。しかし実際、在宅では研究成果を出せない部署も多く、午前中のみ、あるいは午後のみ等、分散勤務を命じています。出勤する際はネット経由で以下の認証が必要です。

①マスクの着け方、手指の消毒方法等のビデオを四つ視聴し、視聴したことをネット上で認証する。

②出勤する際は、コロナによる症状がないことをネット経由で毎日報告する。

「知らなかった」、「分からなかった」が通用しないようにしています。また、出勤する度に院内のシステムが変わっていることに驚きます。トイレのドアを開閉するセンサー、蛇口からの給水をコントロールするセンサー、各半個室に入れる人員数の制限など、感染拡大を抑えるための方法が次々と導入されています。私が所属する放射線科は画像データを扱う関係上、在宅勤務と相性が良く、リモートで連絡をとりながら研究に励んでいますが、細胞を扱う実験に従事している医師の方は毎日出勤せざるを得ないと伺っています。

２０２１年６月14日

留学事情　二〇二〇年十二月ボストン

朝日大学歯学部から、ハーバード大学ならびにマサチューセッツ総合病院（ＭＧＨ）に留学している教員が、現地の様子を定期的にメールで伝えてくれる。前項に続き、その一部をご紹介する。

□二〇二〇年十二月

〈現地小学校〉

息子が通っていた小学校では大混乱が起こっています。教員を含むスタッフの大量雇い止め、週の授業予定が前の週の間に決まらない、「マンパワー不足による授業の質の低下（その一方で宿題は通常通り）、教育委員会の決定が地区の教員に伝わらず直接保護者へ届く、一日六〇分程度のリモート講義など……教育効果の低下を心配して帰国した日本人も多いようです。

〈留学状況〉

帰国していく日本人研究者たちと話をする機会がありましたが、ほとんどの方が「コロナによって予定していた研究を全うできなかった」とのことでした。中にはコロナ禍の収束に望みを託して滞在延長を許可してもらったものの状況が好転せず、泣く泣く帰国の途に着いた方もいました。

□二〇二一年三月

ジョンソン・エンド・ジョンソン（J&J）のワクチンを十一日に打ちました。同社のワクチンは今月五日からマサチューセッツ州（以下、本州）に納入が開始されました。ファイザーやモデルナのワクチンは打てないと言われ、選択の余地はありませんでした。接種した日の午後から徐々に頭痛が出始め、その夜は眠れませんでした。鎮痛剤を服用しましたが夜中に数回目を覚ますほどで、弱い頭痛はその後二日間続きました。注射した左肩が腫れて、動かすと鈍い痛みを覚えました。接種する日は万全の体調で臨み、可能であれば次の日の予定は入れない方が良いと思います。

本州ではまだ、医療関係者や高齢者などしか打てていません。私はMGHの所属であったため接種できただけで、何の既往歴もない中年男性はまだです。最近、学校の再開を宣言したので、新たに教育関係者が接種対象に加わりました。

□二〇二一年五月

本州では現在、いわゆる一般人の他に十二歳以上のワクチン接種が進んでいます。現時点で三〇〇万人以上（本州の人口は約六九〇万人）が接種を完了したそうです。米国全土で見ますと、過日、バイデン大統領が「おおよそ半数以上の成人が少なくとも一回目の接種を終えた」と言っていましたが、こちらで私が知っている人は全員接種を終えています。接種を受けていない人の方が少数派になった感じがします。

先日まで接種会場がオープンするたびにニュースになっていました。ドームとは言いませんが、かなり大きな会場が使用され、一時期はレッドソックスの本拠地であるフェンウェイパークが会場になっていました。ボストン在住の方が五〇km以上離れた会場まで接種に行くこともあったようです。

予約は、スマホに届く情報を基にネット経由で簡単にできます。もちろん当日は、身分証明書、接種予約に関するメール、カードなどが必要です。私はMGH所属でしたので、簡単な手続きだけで済みました。少なくとも本州はほぼすべての人がファイザーかモデルナを接種しています。今後、この二社のデータに基づいて対策が取られるのではないでしょうか。一回投与型のJ&Jのワクチンを接種した私は、自己管理が必要だと思っています。

＊五月二十四日、J&Jはワクチンの製造販売承認を厚生労働省に申請。承認が得られれば、二〇二二年初めから日本で供給を始める可能性がある（五月二十五日付日本経済新聞朝刊より）

2021年6月28日

留学事情 二〇二二年六月ボストン

朝日大学歯学部から、ハーバード大学ならびにマサチューセッツ総合病院（MGH）に留学している教員が、現地の様子を定期的にメールで伝えてくれる。前項に続き二〇二二年六月現在のボストンの様子をご紹介する。

□街の様子

五月二十九日に制限が緩和され、ほぼノーマルな生活を送れるようになりました。街を歩いた感じでは一割以下の人しかマスクをしていません。マサチューセッツ州によりますと、以下の場合にはワクチン接種の有無によらずマスクの着用が求められています。

・公共・民間交通機関（バス停、駅、空港、タクシーを含む）
・病院を含む療養施設（在宅医療従事者を含む）
・十二歳までが通う学校（スタッフを含む）
・指定された施設（刑務所を含む矯正施設、ケア施設、保険サービスなど）

それでも、スーパーマーケット内でマスクをしていない人をほとんど見かけません。屋内営業の施設ではマスクの装着を促される、あるいは自主的に着用しています。店先にマスクを無料で置いてあるところもあります。一方で、室内で飲食ができるようになったお店も増えてきています。

□小学校の様子

四月以降、対面とリモート授業を選択できるようになりました。リモートを選択する人は少ないようで、コロナ前の状況と変わらなくなりつつあります。十二歳までが通う学校はマスクの着用が義務化されています。その他、週に一度、消毒作業のために早く終わる日があります。

六月二十三日から公立学校は長期休みに入ります。コロナの影響は右肩下がりですが、サマースクールは例年より参加者が少なく、イベントによっては中止されるなどまだ警戒している人が多いようです。日本から参加されるのであれば開催の有無を事前に確認する必要があると思います。開催される場合はおそらく参加者も少なく、ある意味で「狙い目」かもしれません。

□ワクチン接種

現在、十二歳以上で同州に在住、勤務、学生のいずれかであれば、国籍、人種を問わず、州政府のホームページから予約して接種を受けることができます。そのほか、学校や職場など所属先からワクチン接種の案内を受ける場合も多いと思います。場所は大会場のほか、薬局や健康センターが追加されて、感覚的には「いつでもどこでも受けられる」印象です。現時点ではファイザーしか接種できませんが、先月、モデルナが十二歳から十七歳にも有効かつ安全であるとのデータが報道され、近いうちに解禁されるのではないでしょうか。

□研究生活の近況

ほぼコロナ前の状況に戻ったといえます。何かしらの制約はありますが、手続きを踏みさえすればほぼ平常通りの研究活動を送れます。ラボ内でマスクを着けなくて良くなったと複数の方から聞きました。

ＭＧＨではネットを使っての毎日の体調報告と認証が継続されていますが、院内食堂の柵が撤廃され、部屋内の人数制限を表示する紙が剥がされました。在宅勤務と相性の良い放射線科ラボではＭＧＨが推奨する八月末までの在宅勤務を継続していますが、こういうラボは少数ではないでしょうか。ご高齢の研究者は、引き続き在宅で仕事をする方も多く、通勤を選ぶか在宅を選ぶかはラボや人によって異なります。

◇

ここ日本でもワクチン接種が加速化してきた。再来週に開幕する東京五輪の開催を、あと三カ月後ろ倒しできれば、随分と景色が変わってくるのかもしれない。

２０２１年７月12日

東京五輪　メディカルユニット

過去最大のコロナ第五波も減少局面に入り、菅総理の「コロナ対策に専念する」退陣、そして自民党総裁選、総選挙と続き、東京五輪など遠い昔のことのように感じる。筆者は、日本バレーボール協会のハイパフォーマンス事業本部メディカルユニットの副ユニット長として、今大会期間中、バレーボール競技のコートサイドドクターとして有明に詰めた。

バレーボール競技は五輪の中でも、最も開催期間の長い競技の一つ。総合開会式の翌日、七月二十四日（二〇二一年）から予選が始まり、初日は男子。翌日が女子。以後、男女の試合が交互に行われる。会場は、新設された有明アリーナのメインコート一面のみで、予選には男女それぞれ一二チームが出場。これを二つのグループ、すなわち六チームずつに分けて、グループ内で総当たり戦を行う。各グループの上位四チームがベスト八に進出。男子準々決勝が八月三日から始まり、女子は翌四日から。男子の三位決定戦と決勝が八月七日、女子のそれが翌八日、すなわち総合閉会式の日に行われる。報道的な言い方をすると「一六日間の熱い戦い」が続く。

前半の予選では、一日六試合が行われ、第一試合は午前九時から。第六試合は二一時四五分から。これをサポートする医療スタッフは二交代制を組み、前半のチームは午前七時半に集合して、一六時までの勤務。後半のチームは一五時三〇分に集合して二四時までの勤務となる。一日八時間の勤務と三〇分の食事休憩という「建て付け」らしいが、バレーボールはテニスと同様に終了時間が読めない。フルセットまでもつれると一試合あたり二時間を超え、第六試合が終わるのが午前様という日もしばしば。筆者は、午前二時までの勤務を経験した。

有明アリーナとは別に、水元総合スポーツセンター（葛飾区）、千代田区立スポーツセンター、江東区スポーツ会館、塩浜市民体育館（市川市）が公式の練習会場として指定され、それぞれに理学療法士一名と医療ボランティア一名を配置。急な怪我や病気が発生した場合は、有明に常駐している医師と連携して対応した。

また前述のメディカルユニットとしては、お台場の潮風公園で行われたビーチバレー会場にも医療スタッフを派遣。これらすべての会場をカバーするために医師、歯科医師、看護師、理学療法士、アスレティックトレーナーなどおよそ一一〇名の医療職の協力を得た。

「五輪会場に医療職を募ることで現場は困窮する」という報道をよく耳にした。しかし筆者の経験上、この百余名の派遣によってコロナの医療現場が逼迫したという話は聞いていない。スタッフのほとんどが日頃からアスリートのスポーツ傷害に関わっており、コロナ医療には従事していない。また必ず所属先から許可をとって参加をしている。長引くコロナ禍により、これだけの人数が事前研修のために一堂に会することの難しい日々が続いたが、グループ単位での研修の様子を動画で一斉配信したり、LINE WORKSというアプリを活用することで情報共有に努めた結果、大きなトラブルなく全日程を終えることができた。

２０２１年９月27日

有明アリーナのバレーボール会場

東京五輪　有明アリーナ

東京五輪期間中、男女バレーボール競技のコートサイドドクターを務めた。今回は医療ボランティアとして参加した感想をご紹介する。

初めての有明アリーナ

バレーボールは、故松平康隆日本バレーボール協会名誉会長らのご努力もあって、五輪の翌年には各大陸王者が集まるワールドグランドチャンピオンズカップ（通称：グラチャン）、その翌年には世界選手権が。そしてその翌年、すなわち五輪次期大会の一年前にはワールドカップが開催され、言わば毎年、国際大会があり、その多くが日本で開催され、かつテレビ中継されてきた。

われわれ日本協会のメディカルユニットも、すべての国際大会や強化合宿を支援するため、学閥や年代を超えた医療チームを結成し、国内外の現場に対応してきた。東京大会での主な活動場所は千駄ケ谷の東京体育館か国立代々木競技場で、まさに勝手知ったりであった。

ところが東京五輪では新築された有明アリーナが会場となり、アリーナの設置主体である東京都と五輪実行委員会、日本協会との連携が進まず、われわれメディカルユニット幹部がアリーナに初めて足を踏み入れたのは、本年五月第一週にテスト大会として開催された日本対中国戦の時であった。テスト大会も、コロナ禍で無観客開催であったため、観客と選手、医療スタッフの動線が把握できず、また主催者側から「五輪本大会では、選手動線を隔離するバブル方式を徹底するので医務室の場所も変更になる」との説明を受けたが、誰がいつ、何を決めているのか、分からないまま時が流れた。

集中する事務作業

バレーボール競技だけでも一〇〇名以上の医療スタッフが二週間以上の期間、活動する。勤務シフトを組むだけでなく、全員のユニフォームやＩＤ証の準備、そして個々の宿泊手配、旅費精算など、事務作業だけでもかなり煩雑。

これに加えて医務室のレイアウト、備品・医薬品の確認と管理、消防等各機関との連携といった実務を「公益財団法人東京オリンピック・パラリンピック競技大会組織委員会大会運営局医療サービス部会場医療計画課主事」なる肩書きを持つ看護師さんがすべてを統括したが、当然オーバーワークである。大会前には医療スタッフのイライラが高まったが、同業者が一人で走り回っている姿を見ると、不満の声は消えて、スタッフ間でLINE WORKSを活用するなどして互いの情報共有に努めた。

大会の全体像を把握できぬまま

ネット上に転売され話題となったボランティアの青色のユニフォームだが、一名あたりハット一個、ポロシャツ三枚、パンツ二枚、ソックス二足、シューズ一足、ポーチ一個が支給された。メインスポンサーを務める国内メーカー品なのだが、「サイズがやや小さめなのでできれば試着をして」というメールが回り、筆者は七月七日、老朽化のため閉館していたホテルオークラ東京の別館に出向いて、試着を兼ねて支給を受けた。顔写真入りのＩＤ証も同時に渡された。医療に限らず、ボランティアが実行委員会とリアルにコンタクトできる貴重な場であるにもかかわらず、ホテルオークラには大会運営自体のことを把握している担当者はおらず、流れ作業のように衣類だけを渡された。

さまざまなことが不透明なまま本大会へと突入した、という声が医療サービスに限らず、多くのセクションから聞かれた。まあ「医療ボランティアなど、自分の持ち場だけをしっかりやっておけよ」という意味と解し、自身の怒りを抑えた。

２０２１年10月11日

有明アリーナ外観

東京五輪　医療ボランティアの一日

前項同様、東京五輪期間中の医療ボランティアの「一日」を紹介したい。

バレー会場となる有明アリーナと、その西側に隣接する有明体操競技場と合同の関係者ゲートでは自衛隊員がサポートして、ＩＤ証と顔認証システムを併用した身分確認が行われる。その後、Ｘ線による手荷物検査。これらを終えると、あらためてボランティアとしてのチェックインとなる。出勤回数三回で銅、五回で銀、そして一〇回目で金色のピンバッジがもらえる。

端末でＩＤ証を読み込んでの作業なのに、チェックイン時に毎回「何回目の出勤ですか？」と聞かれる。「今日で五回目です」と回答すると「はい」と。筆者としてはどうしても欲しいわけでもないのだが「銀バッジ、もらえますか？」と聞くと、「まだもらってないんですか？」と問われ、なぜか渋々渡される。その後、自ら歩き回りながらミールクーポン一枚、ミネラルウォーター二本、塩分補給用タブレット二箱をピックアップしていくが、背後から「一人二本ですよ、取り過ぎないで」との低い声が飛ぶ。よっぽど筆者の人相が悪いのだろうか。

午前八時から一六時までの勤務者には昼食用として、一六時から二四時までの勤務者には夕食用として、一日一枚のミールクーポンが支給される。「五輪会場の食事、美味しいって話題になってますよ」と言われるが、それはおそらく選手村内のダイニングのお話。当方はといえば、一例をご紹介すると、ハンバーグ温野菜添えに白米おにぎり又はパン二つ。そしてメインスポンサー提供のペットボトルを一本。

これらを自分でピックアップして、一〇台ほど並ぶ電子レンジに放り込んで温めること三〇秒。蓋を開けると、デミグラスソースと野菜の入り混じった匂いが広がる。真夏ということもあって塩分はかなり濃い目。幼少の頃から「作っていただいた食事に文句を言うな」と親に言われてきたが、この食事が二日も続くとさすがに食べ飽きる。喉も渇く。アリーナ内ではゲームを観ているだけでほとんど身体を動かしていないことも食欲が上がらない一因と思われた。

ＰＣＲ検査は、出勤のたびに行った。自らキットを開封し、スピッツ容器の中に唾液を流し込む。蓋をしたらスピッツにバーコードシールを貼り、その番号を、スマホの専用サイトに個人情報とともに入力。それらが完了したらスピッツを所定の場所へ提出する。前述の出勤情報と、ＰＣＲ専用サイトへの入力情報がリンクされている形跡はない。すなわち提出自体が性善説であり、もし出し忘れてもお咎め無し。検査結果については「陽性が出た場合に限って連絡する」ということで、われわれ医療者としては「ちゃんと検査されているのだろうか？」というのが正直な印象。大会のさまざまなシステムが、「やっていますか？」と聞かれればやってはいるが、それぞれがスタンド・アローン、すなわちつながっていない、横への連携がない。

東京五輪が終わって二カ月が過ぎたが、初チェックイン時にもらった「虫除けスプレー」がこの夏、もっとも重宝した。バレーボールはインドア競技なので、期間中に一度も使うことはなかった。この「ちぐはぐさ」が五輪大会を通じて随所に見られたが、わが国も人口減少の局面に入り、持続可能社会の実現に向けて連携不足による無駄を省き、より効率化を進めていかねばならない。足元を見れば、大学組織も唇寒し、秋の風か。

2021年10月25日

ある日のランチ

東京五輪　移動と宿泊

前項同様、今回は東京五輪期間中の移動や宿泊についてご紹介する。

会場の有明アリーナは、移転で話題となった豊洲市場から南東方向へ橋を渡った場所に新築された。最寄り駅の新豊洲駅から徒歩八分。筆者の東京の自宅（世田谷区）から電車で片道およそ一時間。ドア・ツー・ドアで見ると会場入りまで一時間二〇分ほどを見込まねばならない。

十五時半から出務のボランティアは、業務終了が二十四時を超える可能性が高いことから、実行委員会が会場最寄りのホテルを押さえてくれたが、筆者に割り振られたホテルは、中でも会場に最も近いものの徒歩で二五分の距離。タクシーを拾えということなのかもしれないが、五輪期間中の真夜中にどの程度、流しのタクシーが走っているか、事前には想像もつかなかった。

そこで実行委員会に対して「自家用車移動」と「宿泊ホテルのキャンセル」を申し出たが、「通勤労災のリスクから推奨できない」との理由で聞き入れてもらえなかった。「ホテル一棟丸借り状態なので、先生一人がキャンセルしてもトータルコストは変わらない」という実情もあったようだ。

それでも本大会が真夏の開催であること、また本大会が近くなると「五輪反対を掲げる団体がボランティア狩りなるものを計画している可能性がある。公共交通機関で来場する人は、会場に到着してから公式ユニフォームに着替えた方が安全です」というメールまで回ってきた。そこで自ら会場周辺の時間貸駐車場の様子を見て回ったがどこも規模が小さく、大会期間中、常に空きがあるか確信が持てなかった。悩んだ挙げ句、有明アリーナから徒歩三分の位置にある東京有明医療大学に相談させていただいたところ、「五輪のためご苦労さまです。大会期間中は授業を休みにしていますので」と、職員専用駐車場を貸してくださった。

おかげさまで、同駐車場内で着替えをさせていただいたり、有明アリーナから朝日大学での仕事へ戻るために、同駐車場から東京駅八重洲地下駐車場まで自家用車を走らせて、岐阜までの往復をさせていただいたりと、まるで研修医時代を思い出すような日々を過ごすことができた。「頼るべきは、やはり同志」。同大学を運営する学校法人花田学園の櫻井康司理事長をはじめ教職員皆様のご厚志に、心からの感謝を申し上げる。

ところで、医療ボランティアに対する交通費の支給基準だが、会場を起点として片道五〇㎞以上の者については大会期間中、二往復分までが請求可能。会場へ来た際に、都度、申請用紙に経路を記入して提出。筆者を含めて、会場から五〇㎞圏内に在住のボランティアについては一律千円が支給された。少額なので現金支給、あるいは指定の銀行口座への振り込みかと思いきや、専用のプリペイド型のＶＩＳＡカードが一人一枚配布され、ここにチャージされるという。さすが「ワールドワイドオリンピックパートナー」と呼ばれる最上位のスポンサー様である。

蛇足だが、医療ボランティアに対する日当はゼロ。宿泊費については前述の通り実行委員会が負担。筆者が割り振られたホテルは朝食付きだが、同一建物内にフードコートがあり、朝食券をフードコート内の店舗で二千円分のクーポン券として使用できた。連泊が続くと、ホテルの朝食にも飽きがくるため、長期滞在のスタッフからはクーポン券を使ってのフードコート利用の方が好評であった。

２０２１年11月８日

プリペイド型のカード

コロナ第六波と国家試験

新型コロナウイルス感染症「第六波」が襲来した（二〇二二年）。私ども朝日大学では、年末年始で帰省した沖縄県出身の学生の中から感染が散発し始めた。「所轄の保健所からの指示に従い、十分に療養してから岐阜へ戻るよう」指導したが、われわれが張った網をすり抜けていくように、岐阜へ戻ってきてから発熱する学生が現れた。これを受けて沖縄から戻ってきた学生に対しては、一定期間の自宅待機を命じた。

次の波は、成人式参加者を中心にわき上がった。緊急事態宣言やリモート授業など、大学入学後から抑圧されてきた学生諸君が、「第五波」と「第六波」の間、すなわち「鬼の居ぬ間」に旧友との再会を祝して二次会、三次会へと流れていくことは、筆者の学生時代を振り返っても理解はできる。しかしこれらの行動が導火線となり、学部の壁を越えて同時多発的に感染の報告が入り始めた。そのペースは、愛知・岐阜・三重といった東海三県における感染者数のカーブをトレースするかのごとく上昇軌道を描いた。感染した学生の多くが、昨年夏に本学学内で実施した職域接種においてワクチンを接種していたため、「オミクロン株はワクチンを二回打っても発症するのか」という無力感にも包まれた。

その後も歯学部学生間に感染者が発生したことを受けて、歯科医師国家試験を二週間後に控えた六年生の講義を、Ｚｏｏｍを利用したライブ講義に切り替えた。一月二十日の報道によると、全日本民主医療機関連合会（民医連）が看護師国家試験について、新型コロナウイルスに感染して受験ができなかった学生に対して、国に追試の実施などを求めたが、厚生労働省は「職業資格を担保する国家試験であることを踏まえると、本試験と同等の質や量の試験を短期間で作成するのは困難」と回答した。

本稿校了直前に同省ホームページを再確認したが、「新型コロナウイルス感染症に罹患し、入院中、宿泊療養中または自宅療養中の受験者は、他の受験者への感染の恐れがあるため、受験を認めない」、「試験場入口（原則施設外）にてサーモグラフィカメラによる検温を実施し、三七・五度以上の者は再度接触型体温計により検温し、三七・五度以上あった場合は、抗原検査キットによる検査を実施。陽性となった場合は、受験を認めない」としている。昨年十二月二十四日付で発出された内容だが、この時点では第六波の襲来、過去最高の感染者を記録することなど予測できていなかったはず。医師をはじめとする医療関係職種すべての国家試験が同様の扱いとなっている。

一年に一度しか与えられないチャンスとなると、受験生は無理を押して、また当日朝に解熱剤の坐薬を挿してでも試験会場に突入することが危惧される。コロナ禍を迎えて二年目の国家試験、特に医療系であることを踏まえると、「ひと、くらし、みらいのために」を掲げる厚生労働省こそ、一年をかけて本試・追試用の問題二セットくらいは用意しておいてもよかったのでは、と学長としては心が痛む。

ところが現場の医師や看護師にこの話をすると「そのタイミングで、感染するなんてついてないよね」、「現場では検査キット不足なのに、国家試験会場には常備されるんだろうね」と、結構ドライな反応。確かに。筆者も現役時代には、熱が三九度まで上がろうとも手術は休まなかったし、風邪で手術の執刀を休んだ医師を見たことがなかった。長く医療現場に身を置いていると、院外で起こるあらゆることに対して、より現実的に考えるようになるのかもしれない。

2022年2月14日

事務業務のＢＣＰ

新型コロナウイルスのオミクロン株が流行し始めてから、およそ二カ月が経った。第五波とは異なり、岐阜県内でも高校や小・中学校でも感染の報告が相次ぎ、より広範な世代へ感染が拡大した。県内の動向をみていると、確かに第五波までと比べて人工呼吸器、あるいはＥＣＭＯ（エクモ）管理となる重症者数は少ない。しかし先行する英国と同様に、二〇二二年一月後半に入って、じわりじわりと高齢者の中等症患者が増えてきている。いわゆる重症化率が低くても、これまでより感染者実数がはるかに多いため、結果的には高齢患者が長期間、病床を埋めることとなる。

一月二十三日日曜日の午後に朝日大学病院から「院内保育所の先生の感染が確認されました」との第一報が入った。園児を介して院内の医療従事者に感染が拡がるのでは、と目の前が暗くなった。しばし唖然としている間に、病院事務部長や課長らが保健所と連携して濃厚接触者を特定し、自宅待機を指示するとともに、当該保育所の一定期間の閉鎖を決めてくれた。幸い感染拡大には至らなかった。

本学では、学生の感染状況、特に新規発熱者の発生、その検査結果、療養状況等について、学生課の事務職員がまさに夜討ち朝駆けで把握をし、学長、副学長、学部長をはじめとする教学役職者、そして事務局長、部長、課長らに電子メールで日報を上げてくれる。一月のオミクロン株急拡大期には、メールの送信時刻が午後十時を過ぎる日も散見された。

あらためて現場に聞くと、たとえば寮生活を送る運動部内に新規感染者が発生すると、保健所の指導に基づいて、学生課の職員が当該学生を県が指定する療養施設（ビジネスホテル）へ送り込む、あるいは寮内に隔離ゾーンを設けて寮内での療養を支援する。と同時に、保健所の指示で濃厚接触者リストを作成し、本学医療職員の手が空く夕刻の時間帯を利用して、学内で一斉に検体採取を行い、それを保健所へ持ち込む。また、そのPCR検査結果を受けて次の対応を行うなど、次々に仕事が湧いて出てくるという。さすがにオーバーワークではないだろうか？　特に保健所とのやり取りは、これまでの経験の蓄積から業務がより高度化しており、もしも本学の担当者が感染したらコロナに関する学内業務が完全に止まってしまうのでは？　いわゆるBCP（事業継続計画）の観点から、①他課からの人的応援の必要性について、②引き継ぎのための業務マニュアルの作成の必要性について、事務局長と相談した。

幸運にも学生課の職員の中から感染者、あるいは濃厚接触者が出ずに何とかここまで来たが、二月二日、大学病院で発熱外来やコロナ陽性患者の対応を一手に引き受けていた事務課長の陽性が判明した。外来事務職員ならびにご家族の検査を行ったが全員が陰性。感染経路不明のまま、課長は県指定のビジネスホテルで療養することとなった。当院はＪＲ岐阜駅前の急性期病院としてコロナ専用病床を二六、そして発熱外来を有しており、所轄の保健所とのやり取りはすべてこの課長が担当していただけに、現場はそのカバーに追われた。

事務職を含む本学の医療従事者は、行政からも先手、先手でワクチン接種の機会を頂戴し、筆者を含めて昨年十二月中旬には三回目のブースター接種を済ませていただけに、病院事務業務のＢＣＰまでは考えが及ばなかった。教育と医療は本学の中核事業で、社会的責任も大きい。あらためて業務フローを見直したい。

２０２２年２月28日

コロナ第六波と私の夕食

新型コロナウイルス感染症の「第六波」襲来を受けて、ここ岐阜県では他一二都県と足並みを揃えて二〇二二年一月二十一日より「まん延防止等重点措置」が適用された。県は「最大限の危機感を持って、感染対策に取り組む」として、県内全四二市町村を対象に、飲食店へ午後八時までの営業時間短縮と酒類提供の全面停止を求めた。当初は二月半ばまでを目途としたが、さらに三週間の延長が発表された。

岐阜での単身赴任生活二十数余年となる筆者にとって、このコロナ禍最大の課題は「今晩、何を食べるか？」、すなわち夕食である。近隣の愛知県、三重県にはない「禁酒令」まで発出となると事態はより深刻である。

実は、このコロナ禍に突入するまで、単身の部屋には酒類を置かないことを神様に誓ってきた。仕事のストレス（おそらく私よりも周囲の方がよっぽどストレスフルであろう）と、単身の寂しさ（離れて暮らす家族は私が居ないことでよっぽどストレスフリーであろう）が重なり、いわゆるキッチンドリンカーになるのでは……という警戒心が定めた掟。あらためてネットで検索すると、その特徴は①毎日、自然とお酒に手が伸びる、②おかずを肴にして主食をあまり食べない、③飲まないとイライラや不安を覚える、④当人はあまり罪悪感を持っていない、と。帰宅して冷蔵庫にビールがあれば間違いなく①と③はビンゴ。抜栓後なら④も賛同。②については、飲んでもメは炭水化物で、という点で異議あり。

二年以上続くこのコロナ禍で筆者の食を支えてくれたのはコンビニ弁当、スーパーの弁当や、お惣菜といった中食（なかしょく）のほかに、冷凍食品が挙げられる。「最近、冷凍食品が美味しくなった」と、「マツコの×××」なる某テレビ番組でやっていたランキング。その時は「ある、ある」と言って手を叩いて見ていても、翌日になると番組のテーマすら忘れてしまっていたが、これだけ禁欲の日が続くと、スーパーマーケットの売場前であらためてスマートフォンを取り出し、その評価を検索する。

冷凍の枝豆やそら豆については前述したが、この「第六波」でチャレンジしたのが、まずチャーハン。とにかく、いわゆる「パラパラ」さが素晴らしい。どうやってこの油に包まれた感を再現できたのか。焦がしたニンニクなどと書かれると、翌朝の仕事の予定すら忘れて頬張ってしまう。

同様に独り暮らしを満喫されている某教授から「冷凍のさぬきうどんもよくできていますよ」と薦められたが、邦画「UDON」をこよなく愛し、麺通団の一員を自称する身としてはそこに手は出せない。その代わりに選んだのが「ちゃんぽん」である。本当にこんなモノが冷凍から再現できるのか、と恐る恐るレジカゴに入れた。

帰宅すると、まずは裏面の「作り方」を熟読して、忠実なる復元に努める。電子レンジよりもついつい
ガスを使いたくなる。湯気とともに拡がる風味は本格的である。ラーメンどんぶりに移して、手持ちの黒胡椒を挽きながら箸を進める。鼻粘膜が少し開いてきたところで味変のためラー油をたらすこと二滴、三滴。白濁した汁の上にオレンジ色の油滴がまぶしく光り、食欲が刺激される。

蛇足だが、ふるさと納税で二十余年ぶりに新しい電子レンジを入手した（家族と使っていたレンジを処分した）。今までは「あたため」ボタンしか使わなかったが、最近は電子レンジ・クッキングも覚えつつある。コロナの嵐の下で、挑戦の日は続く。

２０２２年３月14日

コロナ第六波とオンライン交流

長引くこのコロナ禍のため、学生や教員の海外留学・研修が滞っている。

この半年ほどを振り返っても、日本側の外国人の受け入れ、また留学を終えて帰国した日本人に対する待機措置が国際的に見ても厳しすぎるとの声も聞かれるが、一方で、特に私ども地方大学ともなると、県外から持ち込まれたと思われる感染例や、外国人コミュニティ内で発生したクラスターに対する批判の声は未だ大きく、海外からの学生受け入れについては、極めて慎重にならざるを得ない。

そんな中、本学の国際交流推進室の継続的な努力もあって、オンラインによる交流が活発化している。

科学技術振興機構が主管する国際青少年サイエンス交流事業「さくらサイエンスプログラム」に、二〇一九年度から今年度の三年間に計五つの受け入れプログラム(北京大学看護学部、メキシコ州立自治大学歯学部、北京大学歯学部、中国の南昌大学歯学部、南アフリカ共和国のウェスタンケープ大学の歯学部ならびに地域保健学部看護学科)が採択された。しかし、このコロナ禍によりリアル受け入れをすべて断念せざるを得ず、それぞれオンライン形式に振り替えて交流の場を設けた。

今年度より新規交流となった南昌大学については、岐阜県国際交流課から担当職員が参加。ウエスタンケープ大学については、駐日南アフリカ大使館よりハリヴ・ジェッピー科学イノベーション教育担当公使が参加。また駐日同大使を務めたモハウ・ペコ氏からは祝辞が寄せられた。いずれも交流開始までの間、ご支援をいただいた方々であり、敬意を表してオンライン会議に招待した。

この数カ月の間、四大学六学部の国際交流担当者とコンタクトして、時差を考慮しながら本学の学事日程と調整して開催日時を決定していく。会議当日は、このコロナ禍で大学全体のオンライン授業システムを構築してくれた本学経営学部の教員二名が会議室に張り付いて、安定的な回線の維持や映像の切り替え、音声の調整など技術面をサポートしてくれた。

オンライン交流を経験して気付いたことを列記したい。まずは双方の出席者の格を合わせること。相手側から三名が挨拶をするのであれば、当方も三名を選出。当方から大学紹介にパワーポイントを使用するのであれば、相手側にもそのように準備してもらうなど。当然、リアル会議でも重要な点なのだが、オンライン会議の事前打ち合わせでは詰め切れない部分もある。いずれにせよバランスを失するのは良くない。出席者の紹介や発表の終了時には、たとえば「拍手をする」といった行為をはさむことにより、双方が場面やプログラムの区切りを意識することができる。

総合司会の手腕にもよるが、慣れないうちは双方で模様眺めをしてしまったり、沈黙を破って双方が同時にしゃべりだすなど。日本人同士であれば互いに場の雰囲気を汲み取れるが、外国人とのオンラインとなると難易度は高まる。あくまでも「交流」なので、シナリオ作成に必要以上に時間をかけるより、オンラインなりに場を盛り上げる工夫も必要だと感じた。

二週間後にはタイのチェンマイ大学とオンラインによる学術交流協定の締結を控えている。香川大学や東北大学による先行事例などを参考にして、つつがなく調印式を終えたい。

２０２２年３月28日

コロナ第六波と二〇二二年卒業式

ウィズ・コロナでの三回目の春を迎えた。お花見も少しずつ緩和の方向に向かっているとはいえ、コロナ禍以前の「桜の下での酒宴」というわけにもいかず。各大学でも卒業式、そして入学式の開催については、規模を縮小するなど頭を悩ませていることと思う。昨年（二〇二一年）の朝日大学の卒業式の取り組みについて、二一六ページで前述させていただいたが、今年はさらに踏み込んだ工夫をしたのでご紹介したい。

コロナ禍以前の式典では学生、ご家族、教職員のため学内の体育館に一三〇〇席を用意し、収容しきれなかった者には、別棟の教室にライブモニターを設置して放映した。しかしコロナ襲来以降は、密を回避するため学部学科単位での分散開催とした。昨年は、中規模教室と大規模教室を併用し、朝からまず中教室で開催し、終わり次第、理事長・学長が大教室へ移動して次の学部の学位記授与を行う。その間に、中教室を清掃・消毒。大教室での式を終えると、再び中教室で次の式が始まる、という形式をとった。教室とはいえ、やはり設営経費もかかるため、今年は五五〇名ほどが収容可能な階段型大教室のみを式典会場として、二日間に分けての分散開催とした。

学生一名につき、ご家族一名を事前届け出制で参列可とし、また来賓の招待を減らすことで祝辞等も減り、式典自体の時間短縮が可能となった。その時間を、このコロナ禍で苦労してきた学生のために充当することとし、卒業式では学長から卒業生一人一人に学位記を手渡しした。

登壇の際には同伴したご家族にも上がっていただき、舞台上手で学長から学位記あるいは修了証を受け取った後、下手へと移動。下手壇上に用意したバックボードの前で、学生、その隣にご家族、その両脇を学部長、学科長が囲んで、プロのカメラマンによる記念撮影で「パチリ」。そして降壇。撮った写真は後日、ネット上からダウンロードするシステムを導入した。

個別に学位記や修了証を手渡す際、どうしても学長からマスク越しに一声かけてあげたい。しかし学生全員の名前と顔が一致しているわけでもなく、「おめでとう」、「コロナで大変でしたね」の繰り返しでは芸がない。そこで今年度から壇上足元にモニター画面を用意して、学生のプロファイルを表示してもらうこととした。具体的には氏名、出身県、所属クラブ、就職内定先、卒業後の臨床研修先など。学生は緊張して足元のモニターの存在には気付かない。

たとえば看護学科の卒業生には「佐藤さん、おめでとう。春からは名古屋医療センターですね。大きな病院だけどがんばってね」と。体育会ラグビー部の主将には「キャプテンとしてよくがんばりました。大学選手権、惜しかったたね」など。「うちの学長、自分のこと、こんなに知ってくれていたんだ」と驚きと喜びの表情が続く。卒業式は、学長が贈る最後のプレゼント。コロナ禍で苦しんでいる学生諸君に、あの手この手を繰り出して、是非とも思い出に残る式典としていきたい。

２０２２年４月11日

卒業生に語りかける筆者

PART 7

朝日大学所属の
オリンピアンとともに

教育者としてのまなざし

朝日大学体育会

九月二日（二〇一八年）に閉幕した第一八回アジア競技大会で、日本は七五個の金メダルを獲得した。アジア版オリンピックと呼ばれるこの大会だが、ソウル五輪を開催した韓国、北京五輪を開催した中国の台頭により、このところチーム日本の影が薄かった。二年後の東京五輪を見据えて、本大会は国民の注目度も高かったといえよう。

私ども朝日大学からは女子フェンシング競技で一年生の辻すみれさんが団体で金メダルを、卒業生の田村紀佳さんが団体、個人でそれぞれ銅メダルを獲得。ボウリング競技では沖縄県出身の安里秀策さんが金メダルを、岡山県出身の竹川ひかるさんが六位入賞を果たした。また大学内に設置している総合型地域スポーツクラブ「ぎふ瑞穂スポーツガーデン」に所属する三選手が活躍して男子ホッケーで見事、金メダルを獲得した。

朝日大学に学生スポーツの強化を目的とした体育会を設置し、今年で満一六年を迎えた。二〇一二年に開催されたいわゆる二巡目の国民体育大会「ぎふ清流国体」の開催が内々定した際、当時の県スポーツ課から課長が来学され、「少年の部（高校生以下）で得点の取れる競技について、県内にその受け皿がないという理由で優秀な選手が県外の大学に流出してしまい、その後の就職も含めて岐阜県に戻ってこない。この構造的問題を解決するために県内の大学としていくつかの競技種目の受け入れと選手強化に協力してほしい」と懇願された。これを受けて、指導者の採用から活動予算まですべてを大学が計画、実行する組織を創り、筆者が初代体育会会長を務めた。

競技種目については県からの助言に基づきフェンシング、自転車競技、ホッケー、卓球といった高校総体レベルで県内の高校生が実績をあげている競技を選択した。指導者の採用については、地元出身者ということにこだわり、かつ高校と連携した強化が進むようにと県内の高校で指導経験のある者を優先した。高校生がこの指導者に教わりたい、高校の指導者が自分の教え子をここへ送ってさらに競技力を伸ばして欲しい、という思いにいかにマッチさせるかが重要である。県出身のオリンピアンという点では、フェンシング部の監督にはシドニー、アトランタ二大会連続で五輪出場した新井祐子氏を、男子ホッケー部の監督には、メキシコ五輪に出場し、その後、高校教員として県立高校を高校総体連覇へと導き、北京五輪では男子の日本代表監督を務めた長屋恭一先生を招聘した。

施設・設備については、兼用での使用を極力避けて学内に専用の練習場を作ることに努めた。指導者からの要望を受け入れ、卓球場や剣道場を作る際には床材やクッション性にこだわって、さまざまな練習場を見学した。フェンシング場については関東の有力校でさえ専用の練習場を持たない状況下にあったため、大分県立総合体育館まで行き、専用施設を見せていただき、さらに県の担当者にお願いして建築図面まで頂戴した。

二〇〇二年に入学した体育会一回生の募集については、その前年、熊本県で開催された高校総体の各競技会場へ就任予定の指導者と共に足を運び、「岐阜の朝日大学です。よろしくお願いします」と、大学のパンフレットや名前入りの「うちわ」を配って歩いた。春は選抜、夏は総体、秋は国体と、そんなことを四年ほど続けただろうか。その結果、現在は一二種目、およそ七〇〇名の学生が体育会に所属し、それぞれトップレベルで戦っている。

地方創生が叫ばれて久しいが、スポーツ振興は地方の中小大学の役割の一つといえる。今後も自治体、地元高校、企業と連携して人材育成を行う「岐阜モデル」の中核として、その責務を果たしていきたい。

2018年10月8日

空港ラウンジでのひと時

知事を団長とする岐阜県の交流事業に参加し、中国江西省南昌市を訪れた。渡航前日の仕事の都合で羽田から北京へ飛び、次に北京から南昌へと飛ぶ便の中で岐阜県からのご一行と合流するという計画であった。

東京の自宅を六時三十分に出発。朝九時に羽田空港を離れ、北京には現地時刻の十二時三十分に到着した。日本と中国の時差は一時間なので ほとんど気にならない。入国手続きを済ませて、国内線への乗り継ぎゲートを通過し、十三時半前には待合ラウンジに入った。北京五輪の開催に合わせて整備された国際空港だが、およそ五時間のラウンジ滞在が始まった。

ラウンジに入ってまずすることはＷｉＦｉ環境と電源の確保である。中国国際航空のラウンジでは、入口に設置された機械に搭乗券のバーコードをかざすと、ＷｉＦｉへのログインのためのユーザーネームとパスワードが発行される。われわれが考えている以上に個人情報の管理が徹底されている。

次に目を凝らして壁際や電気スタンド周辺に設置されたコンセントを探すが、座りやすい場所はほぼ占拠されている。何とか空いているコンセントを見つけ出して、直ちにパソコンとスマートフォンをつなぐ。「スマホを手放せない子どもたち」などと批判してきたが、大人にとってもすっかり必需品になってしまった。しかも筆者は、未だスマホ単独ではなく、ノートパソコンを併用している移行期世代である。

続々と送られてくる電子メールへの返信、各種機関・メディア等からの調査に対する回答書のチェックをしていると、そこに電子決裁まで飛び込んでくる。われわれの法人では、決裁権者に決裁書を送付してから閲覧、処理までの時間を案件ごとに測定しており、常務理事会でたとえば「学長は決裁・承認までに平均五時間を要している」などの「評価」を受ける。そこで可能な限り素早く処理することに日々努力している。旅先といえども、やっていることは学長室とさほど変わりがない。

今秋（二〇一八年）には米国の交流校を回ってきたが、日本とボストンの時差はマイナス十四時間。真夜中、時差で眠れないところに日本から続々と送られてくるメールやら電子決裁やら。「入眠前のメールチェックは不眠を招く」、あるいは「パソコン、スマホのブルーライトは不眠の原因に」といった医学論文も散見されるが、実感としてはほぼ納得ができる。

さてラウンジ内に話を戻そう。北京空港は自然光を生かしたつくりだが、事務作業となると薄暗く感じる。近視用の眼鏡を上げ下げしながら周囲を見渡すと、国内線用ラウンジのためか、ざっと八割超は中国人と思われる。老若男女、ほぼ全員がスマホをいじっている。フィンテックの進展によりキャッシュレス社会が実現していることも急速な普及を後押ししているのであろう。検索サイトはグーグルではなく百度（バイドゥ）。友人同士の連絡はＬＩＮＥではなくＷｅＣｈａｔ（微信）。バイドゥ、アリババ、テンセント。頭文字をとってＢＡＴと表される三大ＩＴ企業が一三億超の民を牽引する。

私もイヤフォンで音楽を聴きながらパソコンに向かうが、それにしても中国人同士の会話は声がでかい。言い合いをしているのであろうかと思いたくなるほどの声量だ。小さな子どもの声も日本のそれに比して明らかに大きい。ある時期、ひそひそ話が禁止された結果としてそのような生活習慣が残ったとも聞くが、おそらく次世代へと引き継がれていくのであろう。拡大する中華圏（グレーター・チャイナ）に飲み込まれぬように。そんなヒューマンウォッチングで退屈しない時間を過ごさせてもらった。

２０１８年12月24日

二〇一九年　年頭所感

新年を迎えた(二〇一九年)。このコラムが読者の皆さんの目に触れる頃には松の内も明けていることかと思うが、拙文におつきあいいただければ幸いである。

さて学長職を拝命して早、十一回目の正月である。十一月も中旬になると各メディア、機関から新年の挨拶原稿を求められる。概ね四〇〇文字弱のメッセージだが、新聞社によっては文字数だけでなく行数も厳しく指定されるため、ワープロソフトを開いて細かくページ設定を行いながら推敲を重ねる。

もちろん外部向けだけではなく、学生、教職員へ向けたメッセージも用意している。こちらは文字数制限が無いので少し気が楽だが、受験生や入学予定者、そのご両親も読むのでは、と思うとついつい力が入ってしまう。

学長に就任した頃、年賀状文化が年越しからの一定時間に送られる電子メールにとって代わりつつあると耳にし、以来、本学広報課の協力を得て、一月一日午前零時に学長からの「年頭所感」が大学公式ホームページにアップされるよう、年末のうちに準備をしている。まあ、新年から朝日大学のホームページを開く人も少なかろうとは思っているものの、筆を執るとこだわってしまう。

以下に、今年のメッセージを転載し、読者の皆様への年始のご挨拶とさせていただく。

◇

謹んで新年のお慶びを申し上げます。

平成がいよいよ終わろうとしています。皆さんにとって、どんな平成年間だったでしょうか。平成三十年（二〇一八年）は大雪、豪雨、台風、記録的な猛暑、そして地震と自然災害が続きました。昭和二十年（一九四五年）の太平洋戦争終結後、「戦後復興」の旗印の下で社会資本の整備が急速に進みました。あれから七十年以上が経過しましたが、災害のたびにインフラの老朽化が顕在化しました。

わが国にとって戦後といったらいつ頃までを思い浮かべますか？　旧制中学時代に戦争を経験した八十歳代後半の男性に伺ったところ「昭和三十九年（一九六四年）の東京五輪」という返事を頂戴しました。浜松市で米軍機の空襲に遭い、防空壕へと逃げ込み、目覚めた時には下宿の叔父さんが爆死していた。焼夷弾が降りしきる中を、壕へ入る前に下宿へ戻って取りに行ったものは学校の教科書。それも下宿に上がる前にしっかり靴を脱いで二階へと上がった。これから焼け落ちるであろう家屋へ入るにあたってわざわざ靴を脱ぐ必要もないのに。そんな経験から、昭和三十九年

（一九六四年）の東京五輪を目にした時に、日本がやっと国際社会に復帰したと感じたそうです。

戦後生まれの五十代女性の答えは、わが国が高度成長期に入った時、と回答。高度成長がいつ始まったかには諸説ありますが、概ね第一次鳩山内閣が立ち上がった昭和二十九年（一九五四年）暮れからと考えるのがよいようです。「もはや戦後ではない」という言葉が昭和三十一年度（一九五六年）の経済白書の序文に載りました。

私は、沖縄の米軍基地問題や憲法改正に向けた議論、北方領土返還交渉、日韓関係の悪化といった報に接するたびに、未だ戦後は終わっていないと感じています。私たちは明治、大正、昭和、そして平成と歩んできました。この春の新しい年号の到来は、ひとつの区切りともいえますが、すべては連続した時の流れのなかにあり、過去を振り返り未来を創造する、そんな気持ちでこの国の未来を、若き学生諸君に託して参りたいと思います。

本年もご指導のほど、よろしくお願い申し上げます。

◇

本文中の八十歳代後半の男性は筆者の父、そして五十代女性は筆者の妻であることを付け加えておく。

2019年1月14日

もう、その季節が

学長職を拝命して、昨秋(二〇一八年)で満十年を迎えた。副学長時代を合わせると十数年、自分は何をやってきたのだろうか、あるいは大学のために何ができたのだろうか、そんなことを考える機会が増えた。少子化が進行し、いわゆる格差、とりわけ都市と地方の格差が広がり、若者が田舎から都市圏へと流出する中で、私どものような中小私立大学が生き残っていく道は険しい。お隣の国立大学法人岐阜大学ですら、リニア開通の好景気に沸く彼の名古屋大学と統合するというのだから、われわれも、右や左や後ろを振り返りながら、また前に進まねばならない。

肩書きを頂戴して増えた仕事の一つがテレビ出演である。「ぎふチャン」と呼ばれる地元の岐阜放送にたびたび出演した。八年前、二〇一一年四月の統一地方選挙の時には、「ザ・統一地方選ぎふ2011」という生番組で、選挙解説を務めた。夜一〇時から九〇分の放送で、県内市町村の首長選の開票速報であった。旧知の岐阜新聞社論説委員から「学長は東京出身で、岐阜県内のしがらみがないからコメントもしやすかろう」と誘われ快諾したが、先方からメールで送られてきたお題は次の通り(一部抜粋)。

①今回の統一地方選をどのような視点で見てきましたか。②安八町長、白川村長、瑞穂市長、山県市長、土岐市長選について。③無投票当選の多治見市、垂井町、坂祝町長についての感想と要望。安八、白川、瑞穂、山県はいずれも一〇時過ぎには当落が判明予定。土岐は一〇時半すぎの予定で、当選者の事務所と生中継でつなぐ予定。その他の当選者については、万歳映像をビデオに収録して、本社に届けるため、万歳と放映時間にタイムラグが生じます。当確の一報が出てコメントをいただき、さらに映像が届いて再びコメントをいただくような流れになりそう。土岐は生中継のため、当選者との質疑応答なども想定。

いざ準備を進めると、これは大変だということに気付いた。一つは、大学が所在する地元瑞穂市長選挙があること。また、筆者がこれまでほとんど立ち寄ったことのない市町が含まれていること。そこで岐阜県出身の秘書に頼んで、新聞各紙から候補者のコメントを切り抜いてファイリングすることから開始。現職の首長については在任中の成果を、特に財政の健全化といった視点から調査した。

それでも放送日が近づくにつれてだんだんと気が重くなってきた。統一地方選後半ということもあって、NHKが開票速報を報道しないため、多くの県民がこの「ぎふチャン」を観るであろうとのことであった。ちなみに大学教員としての私の専門は「整形外科学」。ここは開き直って、一市民目線で語ることに決めた。

しかし、だ。放送当日、すなわち投票終了時刻が迫ってくるとやはり落ち着かない。そこで、県立高校校長を務められた先生に直接お電話して「○○市にお知り合い、あるいは卒業生の方がいらしたら、問い合わせていただきたいのですが。今回の市長選挙で、もしも現職が勝った場合、あるいは新人が勝った場合、それぞれの理由なり、また敗因なりをお聞かせいただけますか?」と。すると一時間もしないうちに返信があり、現場にしか分からない市長選への思いや、候補者の印象を伝えていただいた。これにより、新聞社の論説委員とは違った切り口のコメントをすることができた。中には「現職は態度がでか過ぎる。あんな上から目線では落選するだろうと皆、言っている」という、放送ではコメントしにくい意見まで拾うことができた。

四年に一度、今年(二〇一九年)もその季節が近づいてきた。以前より経験値も上がり、白髪も増えて風格も出てきた。大学のトップセールスとして、そろそろ情報収集を開始しよう。

2019年2月25日

学長のお仕事

前項では、学長のトップセールスの一つとして、統一地方選の開票速報番組への出演についてお話をさせていただいたが、テレビ出演で印象的だったのは、ニュース番組への出演である。

二〇〇八年十月に学長職に就任したが、地域との結びつきを強めるために、メディアへのさまざまな発信方法を模索していた頃のこと。地元の「ぎふチャン」こと岐阜放送からの誘いで二〇一一年四月スタートの「ニュース5プラス」という番組にコメンテーターとして出演することになった。毎週金曜日の夕方五時から、一週間のニュースを振り返ってコメントするという役回りであったが、毎回筆者の登場では観ている方も飽きるのではと思い、メガバンク出身で民間企業での社長経験もある経営学部教授、そして刑事法学を専門とする新進気鋭の法学部教授に声をかけて、交代で登壇することとした。

新規企画のニュース番組で生放送。われわれ三人もいわゆる素人であったため、手探りの状態からスタートした。二十代なのによくトレーニングされた男女アナウンサー、そしてベテランの番組スタッフに恵まれ、放送開始から一カ月を過ぎた頃には、互いのやりとりも軽快になってきた（自分ではそう評価している）。

　テレビスタジオという独特の空間の中で、カメラへの目線の落とし方、「二十秒の尺でお願いします」と言われてしっくり収まるコメントの量など、大学での通常業務では経験できないようなことを勉強させてもらった。咳や咳払いもマイクを通すとかなりの雑音になってしまう。花粉症のシーズンに、くしゃみをこらえるのも苦しかった。スタジオ内の照明は独特の熱さがあり、前日夜にビールを飲み過ぎると、番組中にたらーりと汗が。いつしか、出演前日は節酒をする習慣も身についた。

　番組を終えて柳ヶ瀬へ飲みに出ると、最初のビールが美味しかった。お店の人から「あれ、今、ニュース番組に出ていましたよね。こっちも仕込み中でしたが、いつも見ていますよ」なんて言われると、本当に嬉しかった。

　回を重ねてくるとコメントに厚みを持たせるために、事前にフリップを準備してそれを持ち込んだり、食の紹介の際には、事前にその食材を入手して試食をしたり、出演当日にその食材をスタジオへ持ち込んだりと、それなりに工夫を凝らした。いつしか、在京キー局が制作するニュース番組やワイドショーを、以前とは違った立ち位置から見るようになった。

　二〇一二年夏、ロンドン五輪に朝日大学の卒業生がフェンシング競技に出場するということで、家族旅行を兼ねて英国を訪れた。渡航三日目とニュース番組への出演担当日が重なったため、事前に番組スタッフと話し合い、五輪が開かれているロンドンの街の雰囲気を、岐阜のスタジオへ電話で伝える役を引き受けた。時差の関係で岐阜は夕方、ロンドンは朝。番組開始の三十分前に試験通話を行い、電波状況等を確認。再度、番組開始五分前に筆者から放送局に架電し、回線をつないだまま番組開始時刻を迎えた。ニュース番組の冒頭で、岐阜のスタジオにいるアナウンサーとかけ合い。一分半ほどであったが、天気や気温、街の混雑具合、五輪会場付近の盛り上がり、ボランティアの活動ぶりなどを伝えた。帰国後に聞いたことだが、岐阜放送にとって初のロンドンからの電話生中継となった。

結局、二年ほど出演させていただいただろうか。ニュース番組は円満に幕を閉じた。なぜ好評だった番組が終わってしまったのか。おそらくわが朝日大学が最後まで番組スポンサーに付かなかったことが最大の原因ではないか、と勝手に思っている。

2019年3月11日

働き方改革とは

朝五時二十分。東京の自宅を出発して岐阜の朝日大学へと向かう。ドア・ツー・ドアでおよそ三時間の旅。東京から岐阜へ赴任し、この生活も早二十三年目を迎えた。

新幹線の新横浜駅までのタクシーの車内。当然五時前起きの筆者も眠いが、運転手に祈るような気持ちで語りかける。「お仕事は何時からですか?」。約四十五分の道中、「朝五時からです。今日はお客さんが最初です」と言われると、安心して入眠できる。しかし「昨日の午後三時からです。うちは二十時間勤務でして。今日の午前十一時まで仕事です」と言われると、急に心配になる。「じゃあ、日の出前後のこの時間帯が一番眠いですね」「大丈夫。仮眠とってますから」。

自分の経験を重ねては申し訳ないが、医師になって十五年間は救急病院で夜間の当直業務にも従事していた。朝八時に出勤して、夜の当直もこなして翌日も夕方六時まではほぼ通常業務という、三十四時間(場合によってはそれ以上の)労働である。

個人的には、当直室で仮眠をとりつつも、午前三時以降の診察は結構厳しかった。「先生、急患です。二十六歳男性、診察をお願いします。歩いて来られました」。救急室へ降りていくと、酔っ払いの青年が。「先生、三日前からお腹が痛いんですよ」「はあ、三日前からね」「夜になると不安になっちゃって」。急性腹症と呼ばれる症状だが、大きな病気を見逃すとその後、高くつく恐れも。「それで、お酒は飲めたの？」「ええ。飲んでいる時は気にならなかったんですけど」。

診察台に寝かせて、一通りの診察をするも酒臭い。「今夜はどれくらい飲んだの？」「覚えてませーん」。大きな問題は無さそうだ。「一応、血液検査とレントゲン検査をしましょう」「お金ないから結構です。痛み止めくださいよ。もう眠いし」——そう。こっちだって眠い。三日前からお腹が痛むのならば、なぜ昨日の午前中の外来に来ないんだ？　この程度の症状ならば、あと六時間待って、朝の通常外来の時間帯に来れば専門医もいてさらによし。不機嫌そうな筆者の顔を覗き込むようにその青年は一言「あー空いててよかった。この病院、いつも混んでるから」。

湧き上がった筆者の怒りは、強い眠気に抑えられ無言に。一般的に外来診療をしていない休日や夜間に緊急性のない軽症患者が、病院の救急外来を自己都合で受診する行為を最近は「コンビニ受診」と呼ぶらしい（「上越メディカルナビ」より引用）。

さて、タクシーの話に戻ろう。夜勤の運転手は、概ね仮眠をとりながら長時間労働に従事している。働き方改革もあってか、最近は必ず休憩を取らないと会社側も厳しいという。しかし車を停めていては、いつまでたっても稼ぎにはならない。都心で客足が減る午前三時から五時の間に仮眠をとる運転手も多いと聞く。しかしだ。筆者を乗せて居眠り運転をされてはたまったものではない。

夜勤明けの運転手と分かると、こちらもウトウトしてはいられない。道中、「お仕事、大変ですね」「お休みの日は何か運動されてますか？」「ゴルフと釣り、いいですね。釣りは海ですか？　そう。どちらへ？」「三浦海岸はいいですね。この季節だとどんなモノが釣れるんですか？」「それはすごい。ご家族も喜ばれるでしょう」「お独り？　お住まいはどちらで？」——運転手を眠くさせないために、こちらからの質問は「はい」、「いいえ」で答えられるものではなく、5W1H。すなわち「いつ？」「どこで？」「何を？」「誰と？」「なぜ？」「どうやって？」と質問攻め。まるで、外来で患者を診る時のように。

今日も、どうにか運転手を眠くさせることなく、無事に新横浜駅に到着した。さあ、これから名古屋駅まで新幹線でおよそ一時間二十分。ゆっくりと寝かせてもらおう。

２０１９年３月25日

天府の国・成都を訪れて

先月、国立研究開発法人科学技術振興機構（ＪＳＴ）と中国科学技術部が主催する日中大学フェア&フォーラム in CHINA 2019に参加するため四川省成都を訪れた。

本フェア&フォーラムは二〇一〇年より開催し、今回で一五回目を数える。本学が、交流校である北京大学歯学部からの学生受け入れに対して、ＪＳＴの主管する「さくらサイエンスプログラム」より四年連続で支援を受けている関係から、私どものような地方の中小私立大学にもお声がかかり、昨年、広州で開催されたフェア&フォーラムから参加している。

本年（二〇一九年）は、両国間の関係改善を受けて、文部科学省や中国科学技術部で要職を務める関係者や、八〇名を超える日中両国の大学の学長・副学長、また各研究機関の幹部、科学技術分野の専門家らおよそ一二〇〇名が集い、活発に交流した。

初日の午後には「日中学長円卓会議」が開催された。「大学における教員評価及び育成について」、「日中共同研究をいかに推進するか」、「グローバル人材の育成について」、「産学連携のベストプラクティス」、「技術者の育成における国際協力について」といった五つのテーマについて通訳を入れずに英語での発表、ディスカッションが行われた。

筆者は「産学連携のベストプラクティス」に参画。歯学部を有する大学として、これまで本学が岐阜歯科大学時代より取り組んできたフッ化物によるむし歯予防活動と我が国における八〇二〇運動（八十歳時に二〇本以上の歯を残すキャンペーン）の成果について紹介した。筆者の専門は整形外科学であるため、発表にあたっては本学歯学部ならびに英語科の先生方に多大なるご支援を賜った。専門外の学長が、しかも不慣れな英語でのプレゼンとあって、皆、協力的であった。英語科のネイティブ教員は、発表原稿を音読して音声ファイルに変換し、メールで送ってくれた（涙）。

さて、四川省といえばパンダと辛い料理、というイメージだが、二〇〇八年に学長職に就いて以降、なかなか成都まで来る機会が無かった。十数年前には文系学部の留学生募集の関係で何度となく四川大学を訪れ、多い時期は年に三回ほど訪問した。現地での入学試験の実施のみならず、大学説明会の開催、留学中のご父兄との懇談会、卒業予定者の就職先開拓なども行った。

一九九〇年代末、北京から上海といった通称沿岸部の急速な発展に対して、重慶、成都、西安といった内陸都市の開発が遅れ、経済格差による不満がたまっていた。国土全体の一四％、人口三億人を抱える沿岸部が、GDPの六〇％以上を独占する構図となっていた。これに対して、中国政府は二〇〇〇年に「西部大開発」プロジェクトを展開。鉄道、高速道路、空港などインフラ整備を行い、また外国からの投資を積極的に受け入れた。その結果、街のあちこちで大型公共工事が始まり、盆地である成都市はスモッグがひどかった。それらの開発が一定の成果を出し、成都市内は古き良き風情を残した美しい街並みへと変化していた。

学長円卓会議を終えた夜は、現在、西南交通大学で講師を務める本学卒業生の王歓先生の案内で、陳麻婆豆腐の本店に連れていってもらった。一八六二年創業の旗艦店。メニューには、料理ごとに辛さを表すマークと、お店がお薦めするマークがふられていた。舌の両側に残るしびれ感、後頭部から吹き出す汗、止めどなく流れる鼻水。中国産ビールの「勇闖天涯」でしみる喉を潤わせつつ、気分は杜甫が書いた「飲中八仙歌」。トヨタ、ソニー、大塚製薬など三六の日系企業が進出し、一帯一路政策の中で内陸の交通の要衝として存在感を増す成都から、この先も目が離せない。

2019年6月24日

学長のお仕事——内政か、外交か？

「学長さんは、年にどれくらい海外出張へ行かれますか」ある大学関係者から質問を受けた。「年二回でしょうか」と即答したところ、同席していた本学職員から「それはないですよ」とバッサリ否定された。あらためて昨年度（二〇一八年）、どこへ出張したかを振り返ってみた。

・五月　中国・広州、北京——日中大学フェア&フォーラム出席、北京大学歯学部長、北京外国語大学日本語学科長との協議
・八月　米国・ホノルル——ハワイ大学マノア校教育学部長との協議
・九月　米国・ボストン、サンフランシスコ——タフツ大学歯学部創立一五〇周年記念式典出席、UCSF歯学部長との協議
・十月　中国・北京——北京大学歯学部との協議、北京市内の私的病院視察
・十月　ベトナム・ホーチミン——留学生派遣機関との協議
・十一月　中国・南昌——岐阜県と江西省との交流事業出席

うーむ。六回だと。しかも国際学会はゼロ。最近自分の感覚では、中国への校務出張は、沖縄県

石垣島への出張とさほど変わらない。特に中国沿岸部までの距離、フライト時間だけでなく、ほとんど気にならない時差、日本と変わらない季節感、ビザ不要の出入国の容易さが距離感を縮めてくれている。北京国際空港で入国審査を待つ列で、旧知の商社マンと出会ったりすると、海外という感覚はさらに薄れる。結果的に「北京、上海あたりは海外出張のうちに入らない」と言うようになる。

朝日大学と北京大学歯学部(旧北京医科大学)との交流は一九八四年に遡る。初期の頃は北京側の教員、病院事務職員の受け入れを行い、また本学の教員が北京に短期留学した。一九八九年の天安門事件を契機に西側諸国が中国への支援を引き上げる間も、われわれはあくまでも民間レベルの交流を続けるという立ち位置を貫いた。一九九一年には本学と姉妹校である明海大学とが共同して、北京医科大学内に鉄筋八階建の卒後歯科臨床研究所を寄付。これにより交流は一層深化し、一九九三年より毎夏、本学歯学部五年生と引率教員を北京大学へ派遣。一九九六年より秋から初冬にかけて、北京大学歯学部の学生と引率教員を受け入れるという双方向交流となり現在に至っている。四年前より北京大学の学生受け入れに対して、国立研究開発法人科学技術振興機構(JST)が主催する「さくらサイエンスプログラム」より支援を受けている。

中国の急速な経済発展に伴い、北京大学の医療施設も近代化され、また日本や欧米での留学を経験した教員が帰国してハイレベルな医療を展開。人口一三億超を背景に、現在は世界で一、二を争う来院患者数の多い歯科病院へと成長した。特に口腔外科分野においては、一日三〇～四〇件の手術をこなし、そのほとんどが全身麻酔の症例というのも驚きである。すでに日本では見ることのできないような貴重な症例も学ぶこともできる。そこで昨年四月から学長（すなわち筆者）の指示で、本学口腔外科学教室から常に一名の教員が北京大学に留学している。最初は「斥候」役として五十七歳の主任教授が単身で約二カ月間滞在し、道を拓いた。その後は准教授、講師クラスが一～二カ月の単位で留学。そして助教クラスが約三カ月弱。本年四月からは若手助教が細君を連れて一年間の留学に出ている。

この三五年間の交流を振り返ると、支援と呼ばれていたフェーズから、対等な学術交流、学生間交流のフェーズへと進化を遂げ、今や中国側から学ぶ点も少なくない。両国は地政学的にも引っ越しのできない関係にあるからこそ、私どもは私立大学として引き続き国際交流を通じた人材の育成に注力していきたい。

２０１９年７月22日

北京大学歯学部郭学部長（左）との協議

中学生との対話

岐阜の県都・岐阜市に隣接する各務原市の教育委員をお引き受けして、もう数年が経過した。これを機に、同市が主催する中学生を対象としたリーダーズキャンプ「立志塾」の講師を担当。今年(二〇一九年)も夏休み期間中の八月二十一日から二十四日まで、市内八つの中学校から選抜された三九名と共に世界遺産で有名な白川郷にあるトヨタ白川郷自然學校を訪れた。

日頃暮らす各務原市を離れて、白川村の豊かな自然環境の中に身を置き、産官学のトップリーダーや、すぐれたアドバイザーによる指導を通じて、次世代を担う若きリーダーを育成することを目的としている。今年のテーマは「ふるさと『かかみがはら』のためにできること—中学生の自分たちだからこそ」。研修内容は充実している。白川村へ来る前に二日間の事前研修を行い、商工会議所青年部との語らいを通じて、中学生だからできることについて課題の洗い出しを行う。自然學校での三日間はグループ学習形式で企画、提案、運営へと導き出し、同市の浅野健司市長の前で発表を行う。これを受けて、市長と語る時間を設けて、問題点を共有する。生徒が導き出した課題は、身近なゴミ問題や地域の高齢者に対するケア、そして西アフリカのコートジボワールに靴を送るプロジェクトなど多岐にわたる。

塾長の北角浩一氏は株式会社日本一ソフトウェアの創業者兼取締役会長で、同市商工会議所副会頭を務める。同社はプレイステーション、ニンテンドーDSのゲームソフトの開発・販売を手がける。子どもたちにとって馴染み深い職種のリーダーであり、創業理念として「ゲームは作品ではなく、商品である」、「スタッフひとりひとりが誰にも負けない能力を持ち続け、努力し続ける」というヴィジョンを掲げる。筆者のような大学教員よりも、中学生にとってより身近な話題を投げかける北角氏のメッセージは明快である。

これに対して筆者は毎年、「中学生にどんな話をしたらよいだろうか」と悩みながら、この日を迎える。今年は「三十年後の世界を考える」と題して、わが国が抱える諸問題として人口減少、富の偏在化と貧困、環境問題、これらを包括してSDGsへの取り組みを紹介。その後、岐阜県のような地方都市が抱える生産年齢人口の流出、都市と地方の格差について言及。学ぶことの大切さや、慶應義塾の小泉信三先生が遺された「スポーツが与える三つの力」などを紹介しながら、期待されるリーダー像について語った。九〇分の講義と三十分の質疑応答。中学生にはtoo muchな内容と思われがちだが、やはり各学校から選抜された生徒だけあって、テンションはかなり高い。質疑応答で複数手が挙がると、こちらがハッとさせられる。

ちなみに七月中旬には、母校成蹊中学校二年生の林間学校に引率医師として菅平高原を訪れた。こちらは三年ほど前から日本体育大学の菅平実習場をお借りして、キャンプ生活を行う。こういった行事にOBドクターとして二五年以上携わっているが、後輩諸君の成長ぶりを見るのは本当に嬉しい。彼らが大人になる頃、どんな社会になっているだろうか。いつも高等教育のことしか考えていないキャパシティの小さな筆者にとって、多感な中学生が投げかけてくるメッセージは心に刺さる。かくして今夏も貴重な時間を過ごすことができた。

2019年10月14日

「立志塾」で講義をする筆者

母校成蹊中学校でのキャンプファイヤー

学長の国際交流――番外編

大学の国際化を推進していく上で、学長の仕事として海外からの賓客のもてなし、提携校探しのトップセールスなどさまざま挙げられるが、筆者は在日本の各国大使館との交流（営業活動？）にも力を注いでいる。大学と大使館、接点があっても良さそうだが、積極的に関係構築に力を注いでいる大学と、そうでない大学と、かなりはっきりしている印象だ。

十月一日の中華人民共和国建国七十周年の国慶節を前にした九月末、中国大使館が主催する祝賀パーティーが開かれた。都内には帝国ホテルや、東京五輪を前にリニューアルしたホテルオークラ、新装によりそのポジションを上げたパレスホテルなど名だたるホテルが建ち並ぶ中、中国関係の諸行事では古くからホテルニューオータニが選ばれると聞く。これもホテル側から見れば、各国の大使館との強いコネクションと営業活動の成果ということになろう。

今年度（二〇一九年）は、たまたま東京の中国大使館が主催する祝賀パーティーと、中国駐名古屋総領事館が主催し、名古屋市内で開催するパーティーと日時が重なり、筆者は名古屋の会に出席した。

さて、話を東京へ戻そう。パーティーには例年、政治、経済、教育、文化、芸術など各界、また在日本の各国大使館員、変わったところでは防衛関係、すなわち自衛隊、在日米軍の幹部(制服組)など総勢二千名超が招かれ、なかなか盛大である。

二〇一〇年、尖閣諸島付近で起こった漁船衝突事故以降、日中関係が悪化した時期は、御尊父・赳夫氏共々両国関係の発展に尽力された福田康夫元総理が、日本側の代表として挨拶に立たれることもあったが、関係改善が急速に進んだ二〇一七年には現職の安倍晋三総理が出席され、祝辞を述べたことで会場が沸いた。総理のご登場となると、日頃メディアの前では嫌韓反中を訴えている代議士まで参加し、会場内を回って笑顔を振りまいている姿は何とも滑稽である。

また、このパーティーの楽しみの一つは料理が豊富なこと。大使館からのご下命ということもあって、都内の名だたる中国料理店が所狭しと屋台を並べる。

人気なのはやはり北京ダック。その場でパリパリの皮を切り出してくれるので、いつも行列になる。羊肉のしゃぶしゃぶや火鍋料理なども胃を温める意味で良い箸休め。年々美味しさを増している中国産ワインも侮れない……と書きつつも、立食パーティーで「ガツガツ食べている」ようでは営業にならない。大使、同夫人をはじめ公使、書記官など皆、お客様への応対に徹して、一切、箸をつけることはない。何より二時間以上、立ちっぱなしで丁寧にお辞儀をしている姿は、同じアジア人として是非、見習いたい。

これらの活動の一環として、本学と交流関係にある北京大学や西安の空軍軍医大学（旧第四軍医大学）の歯学部学生を受け入れた際には、彼らを東京・元麻布の中国大使館へ連れていく。同行する本学の学生よりも数倍緊張している中国人学生の姿は、彼の国の体制を映し出す。対応してくださる公使や科学技術担当参事官は、学生一人一人に「日本の印象は？」、「日本から学ぶべきところは？」と話しかける。

その後、場所を移しての学生交流会には大使館員の皆さんにも加わっていただき、大いに盛り上がる。時にわれわれの方から、訪中の際にお土産としてもらったアルコール度数五三度の白酒（ぱいちゅう）を持ち出して「乾杯（かんぺい）の戦い」を挑む。大笑いをしながら酒を酌み交わしつつ、大使館員の歯の状態を確認し、帰りがけに「よければ、うちの大学の診療所で歯科の治療をしませんか？　日本の歯科医は腕がいいですよ」とささやく。そんな営業を、メキシコや南アフリカ共和国大使館でもやらせていただいている。こういった活動も、おそらく国際貢献であろう（笑）。

２０１９年11月25日

さくらサイエンスプログラム

このたび、科学技術振興機構（ＪＳＴ）が主管する日本・アジア青少年サイエンス交流事業である「さくらサイエンスプログラム（ＳＳＰ）」が、二〇一四年の事業開始より満五年を迎えた。これを記念して「五周年シンポジウム」が、去る二〇一九年十一月、東京大学弥生講堂一条ホールで開催された。

本学は、プログラム開始二年目よりこのＳＳＰに申請し、北京大学口腔医学院（歯学部）の学生・教員の受け入れが五年連続で、また昨年より招聘対象国が中南米へも拡大されたことを受けて、メキシコ州立自治大学歯学部の学生・教員の受け入れが二年連続で採択され、物心両面の支援を頂いている。筆者は本シンポジウムで、北京大学との交流事業について紹介する機会を得た。

私ども朝日大学は、姉妹校である明海大学歯学部と協力して、北京大学とは一九九三年より、メキシコ州立自治大学とは一九九五年より、両大学の学生を先方へ派遣する、そして先方の学生を受け入れるという双方向交流を継続。お恥ずかしながら、ＪＳＴがＳＳＰを開始したことを知らずに二〇一四年秋、北京大学の学生を連れて、東京の中国大使館を表敬訪問した際に、科学技術担当の院公使参事官よりＳＳＰの存在を教わり「是非、申請しなさい。何かあれば応援しますよ」と背中を押していただいた。

これまでは、およそ八日間の受け入れを本学と明海大学で四日ずつ分担して、ホスト学生との交流、日本の歯科医療の現状を紹介する講義、附属病院や卒業生の歯科医院見学などを行い、併せて京都や東京観光なども挟み込んできたが、ＳＳＰに採択されてからは、より学術的な内容に刷新。中国でも急速に進行している高齢社会の到来を見据えて、日本の在宅・訪問診療の現状、歯科衛生士による予防活動などを紹介。地域の老人保健施設への訪問歯科診療や、訪問看護ステーションとの連携活動は、「いずれ中国国内でも必要となるべき診療のモデル」として、注目のプログラムとなっている。

一九一六年創業の歯科医療機器メーカーである株式会社モリタへの見学も彼らにとっては刺激的で、「欧米や日本に追いつけ、追い越せで走り、中国の歯科医療レベルも向上したと思っていたが、このような精密機器を自国で作れるレベルには達していない」とため息をつく。科学技術振興という側面だけを見ると、米国のような成果主義的な手法、日本のような単年度ごとの予算方式（近年は研究費の翌年繰り越しも認められるようにはなったが）が悪い訳ではないが、五カ年ごとの計画経済を展開している中国では、研究者が中期的な展望をもって不安なく大型研究に集中することができることから、このところ着実に成果を挙げてきている点は注視すべきである。
さて、これまでSSPにより四一の国・地域より約二万六千人の青少年が来日を果たしている。四十歳以下の学生、若い研究者、技術者などで、日本に長期滞在経験のない方々が招聘の対象となっており、まさに「親日家」を養成している。この五年間を振り返ると、初年度予算八・一億円でスタートしたが、五年間で年二〇・七億円まで伸ばしており、国別では中国（八九〇四名）、タイ（二八五四名）、インド（二二〇七名）、ベトナム（一九一二名）といった国が上位を占めている。本シンポジウムの席上、本学が招聘した北京大学の学生が、中国からのSSP一万人目ということで表彰を受けた。特に中国からの受け入れに対して多年にわたり尽力された有馬朗人元文部大臣、中国総合研究・さくらサイエンスセンター長、沖村憲樹元科学技術庁科学審議官、同さくらサイエンスセンター上席フェローをはじめ関係の方々に、この場をお借りして感謝を申し上げたい。

2019年12月9日

コロナ禍における次年度計画

晩秋ともなると、どの大学でも次年度の事業計画、予算の立案で何かと忙しいのではないだろうか。当方もZoomによる会議を重ねている。

近年は中長期計画に基づき、PDCAサイクルを回しながら単年度の事業計画策定に反映させている法人がほとんどだと思うが、予算案の作成にあたっては、当年度の決算見込額を無視することはできない。二〇二〇年は、期首から新型コロナウイルス感染症の影響を受けて、遠隔授業への対応、教室や学生食堂の三密対策、消毒・換気作業、またマスク・消毒液をはじめとする衛生材料の臨時購入等により、予期せぬ支出を強いられた。修学支援という点では、遠隔授業用のPCや通信環境整備のための一時金支給から、家計の悪化を補う返還不要の奨学金支給に注力した大学も少なくない。

医学部や歯学部を有する大学では、現下のコロナ禍による附属病院の収入減が教育活動収支の悪化を招来している。春先の第一波の時期には、特に生命と直接影響の少ない不要不急の手術、内科系の侵襲的な諸検査が見送られた。歯科治療では飛沫感染が問題とされた。人間ドックの受診者数も激減した。第一波を越えても患者の受診抑制は続き、特に小児科などは未だ反転の兆しが見えない。院内感染対策には、大学本体以上の施設・設備投資が膨らみ、特にコロナ患者を受け入れている病院ほど対前年同時期比で収支がより悪化していることが、日本病院会等の調べでも明らかとなっている。そんなわけで、当年度決算見込みも立てにくい状況にある。

そんな中、二〇二一年春から七十歳までの就業確保を企業の努力義務とする改正高年齢者雇用安定法が施行される。前回の大幅改定では定年廃止・延長、継続雇用制度の導入のいずれかが義務化され、多くの企業が継続雇用制へと舵を切った。背景には、当然のことだが年金受給開始をいかに遅らせるかという重要課題がある。

年齢を重ねるニアリーイコール経験を積むことで、労働の質は明らかに変化する。教育や医療といった専門性の高い職種においては、同一労働・同一賃金的な発想よりも、労働の質をどう正確に評価できるかが鍵となる。

筆者が以前学んでいた大学病院では、定年を超えた一部の教員が、特別診察室で主に外来患者の診察を続けられるシステムが確立されていた。その大学で一〇年、二〇年と継続して診療に従事すれば、その間に治療した患者は年を追うごとに増え、企業的な表現を使うとすれば個人的に多くの顧客を抱えていることになる。名誉教授を関連病院の院長や名誉職へと手放さず、気力・

体力があれば働き慣れた大学病院内に診察の場を提供することは、長く診てもらった患者にとって、学用患者を囲い込みたい大学にとって、そしてその先生の奥様（ご家族）にとってもハッピーなことで、まさに「三方よし」である。

そんな目で本学の附属病院を見渡すと、過日、七十九歳を迎えられた脳神経外科医がほぼフルタイムで仕事をこなしている。県内病院の部長を歴任され、県立病院の院長職を務められ、定年退職後に当院健診センターに赴任された。受診者への結果説明、特に脳ドック・ＭＲＩ画像の読影と説明等が主な仕事だが、毎朝、筆者よりも早く自家用車で出勤され、いわゆる急性期医療を担当する若手医師よりも丁寧な説明で、受診者のみならずスタッフからの信頼も厚い。

先行き不透明感漂うコロナ禍において次年度予算を組む際、さまざまな要素を検討せねばならず、経費節減はどの大学でも検討課題だと愚考するが、内部顧客たる教職員が安心して働ける就労環境を創出することこそ、学生、患者、そして地域社会の満足度を高めることになることを忘れてはならない。

２０２０年11月23日

二〇二二年　新春雑感

松の内が明けて、学内も通常業務に戻った。本学では仕事始めの日に、事務局幹部職員が学長室に集まり、紅白や干支の縁起菓子を囲みながら新年の挨拶をするという習慣があった。しかし就任当時若かった筆者としては、前年十二月の理事会・評議員会を経て立案された次年度の事業計画・予算案を一日でも早く幹部教職員に伝えることが大切と考え、一〇年ほど前から教職員研修会に切り替えて、学長による年頭所感と事業計画の説明、続いて法人常務理事による予算案の解説を行ってきた。昨年までは一時間弱の会であったが、今年(二〇二二年)は本学創立五一年目の新たなスタートということで、学長による一時間の講話、その後、常務理事による三〇分の説明となった。新年早々、教職員にはご負担をおかけした。

◇

年賀状を整理していると、ここ数年、諸先輩方からの賀状終了宣言が増えた。高齢を理由にするケースのほか、紙資源を大切にする観点から賀状による新年の挨拶を控える企業も増えた。それでも、引っ越しや結婚、子どもを授かった、孫ができたなど……特にこの一年間はコロナ禍により人と人とがリアルで会う機会が極端に減り、賀状による近況報告には格別感があった。中には「高齢のため来年から年賀状は控えさせていただきますが、引き続き皆さんの近況は知りたいのでよろしければ送ってください」といった賀状もあり、それも良し。

◇

新春のスポーツと言えば、やはり箱根駅伝。青山学院大学の圧倒的な強さに感服した。筆者は順天堂大学の研修医時代に、山梨県石和温泉の町立病院に三カ月間勤務したが、地元開業医の院長のご自宅に集まり、山梨学院大学の上田誠仁監督（順天堂大学卒）から、ケニアからの留学生を含めて駅伝選手の育成の日々について伺った。本来、個人競技である陸上選手を集めて「襷を繋ぐ」という集団スポーツ色の強い競技であること、そしてレギュラー選手ほど本大会で活躍したいという思いが強く、大会前に体調不良を起こしても、それを監督に告げぬまま出場し、その結果チーム全体がリタイヤに追い込まれることがあるなど。その後は駅伝を観るたびに指導者の苦労に思いを馳せるようになった。歴史と伝統のある箱根駅伝が関東学連の大会であることは、ここ岐阜から見ると何とも羨ましい限りである。その週末には高校ラグビー、春高バレー、そして大学ラグビーの決勝を観て、さらなる感動をもらった。

◇

ところで、年始早々からコロナ第六波が襲来し、入試シーズンとも重なり、各大学その対応に頭を痛めておられるのではないだろうか。大学ごとの入試であれば、自分たちの裁量で受験生に不利益とならぬよう最大限配慮することが可能だが、大学入学共通テストでは、マニュアルにない事案への対応については大学入試センターにお伺いを立てねばならない。当然、試験当日に出勤予定の教職員の感染、それによるスタッフの欠員補充も心配である。

センター入試の時代は、機器トラブルの多かった英語のヒアリング試験を中心に、とにかく「朝日大学会場はつつがなくテストを終えることができた」と報告したい学長にとって、感染症対策という変化球まで加わるとそのストレスは倍増する。それでも大学入試に懸けてきた受験生の努力に比べれば、と思い直して我慢は続く。ボーイスカウトのモットーである「備えよ常に」の一年としたい。

2022年1月24日

教員の海外留学

大学の国際化、という点では各大学において、さまざまなご努力をされていることと思う。特にこのコロナ禍では人的な往来が極端に制限され、学生のみならず教員の海外留学に関しても神経質にならざるを得なかった。

筆者は、学長就任後の早い段階で、講座制を敷く歯学部の教員研修会でこう宣言した。「本学は建学の精神の中で『国際未来社会に貢献し得る有為な人材の育成』を掲げている。学生を教え導く教員には、優れた国際感覚が求められる。そのような観点から、将来本学の教授になりたいと考えている者は、積極的に海外留学してほしい。留学先については学生間交流を行っている協定校を優先したい。渡航費を含む係る費用については支援する。今後は、留学経験のない者が学内から教授選に手を挙げても、選ばれる可能性は極めて低い」と。

昭和一桁生まれの外科医であった筆者の父は、留学の機会に恵まれなかった。語学が堪能であった四学年上の兄は、高校時代に米国でのホームステイを経験し、順天堂大学大学院を修了後には、諸先輩の勧めもあってスウェーデンのカロリンスカ研究所に留学した。さまざまな研究成果をあげ、カロリンスカからも医学博士号を授与された。兄の留学中に筆者もストックホルムを訪れ、留学生活の香りに触れた。

留学に憧れを抱いた筆者は、自分も大学院修了後に海外留学をしたいと願っていたが、結局、できぬまま現在に至っている。前述の教員研修会では、自分の経歴について正直に話した。筆者は一九九一年に学部を卒業し、二年間の研修医生活を経て、九三年に大学院に入学。米国のメイヨークリニックに留学歴のある先輩方から情報を収集し、また自分なりに留学プランも立てつつ、九七年三月に大学院を修了した。

しかし、院の修了と同時に朝日大学へ赴任するよう、当時、学校法人朝日大学の常務理事を務めていた岳父からの指示を受けて、翌月より岐阜に異動した。当時の医学部の講座制では禁じ手の「博士号の取り逃げ」をしたことで、医局を離れるのみならず、順天堂大学整形外科同門会から破門となった。

朝日大学に着任した翌月には、本学の創立者で、妻の祖父にあたる宮田慶三郎先生がご逝去され、同月、岳父の宮田侑先生が理事長職に就任。学葬も執り行われた。学校法人の一員として、いわゆる世代交代の瞬間に立ち会えたことは、三十歳にして貴重な経験となった。もしも岳父からの指示を断って医局に残り、かつ夢が叶って米国留学中であったとすると、学葬にすら立ち会えなかったであろう。以来、自分の中で「留学」の二文字を封印してきた。

このコロナ禍前までの四年間を振り返っても、本学歯学部教員がＵＣＬＡ、ＵＣＳＦ、ハワイ大学、タフツ大学、北京大学、ハーバード大学といった世界のトップ校に留学をし、各々素晴らしい成果をあげ、また人脈も作って帰国。それらを日々の学生教育や講座運営に還元してくれている。この四月には若手女性歯科医師がカロリンスカ研究所での留学をスタートさせた。渡航直前に学長室を訪問してくれた際、実兄の経験から「冬場は日が短く、最初の冬は気分が滅入るらしい」と助言した。二週間ほどしてメールが届いた。「決まっていなかったアパートも決定し、生活が始まった感じがしております。到着して数日は寒く苦戦しましたが、ここ三、四日は暖かく、体調も回復してきました」と。

半年でもいい。大学は、筆者の海外留学を許してくれないだろうか。

２０２２年５月23日

平和を希求する

ウクライナで起こっていることについて、大学としてどうアクションを起こすべきか？　学長として何ができるのか？　そんなことを考えながら、早三カ月ほどが経った。日々のニュースを見ながら、胸の痛みが止まらない。

去る二〇二二年二月二十四日未明にロシアによる侵攻が始まった。二十一世紀にこんなことが起こるのか？　正直な感想だった。時々刻々と届く悲惨な状況を目の当たりにし、二十六日、大学のホームページに「ＳＴＯＰ　ＷＡＲ」と題する緊急声明を学長名で発信した。

〈私ども朝日大学は、『国際性と社会性に富む人間、和を重んずる心豊かな人間を育成する』という本学の建学の精神に立脚し、このたびのロシアによるウクライナへの侵攻に対して「ＳＴＯＰ　ＷＡＲ」の声をここに上げる。一日も早い停戦と、隣人たるウクライナ市民の安全を心より祈る。シェルターでおびえる子どもたちの姿を見よ。学生諸君は、初年次教育「建学の精神と社会生活」を通じて私が伝えたように、決して思考停止に陥ることなく、この事態を直視し、多くのことを学び、考え、議論をし、そして共に平和を祈ろう。〉

土日を挟んで二十八日、朝日新聞社から「どのような思いで、このようなメッセージを発信したのか？」と電話取材が入った。「私自身、医師なのでどうしても傷ついた子どもたちに目がいってしまいます。戦争が表す一つの姿であり、子どもたち自身が望んでいるわけではありません。戦争や貧困で苦しんでいる人たちに手を差し延べたり、声をあげたりすることこそ大事だと考えています」との筆者の回答を忠実に掲載した上で、記事そのもののタイトルを〈「シェルターでおびえる子どもたちの姿を見よ」日本の大学学長がウクライナ侵攻に相次いで声明を出した真意〉と、本学の声明文を引用してくれた。どこかで思いがつながった気がした。

去る五月十五日は、沖縄県の本土復帰五十周年。「朝日大学は、今こそ平和を希求する」と題する意見広告を沖縄タイムス、朝日新聞、地元の岐阜新聞に掲載した。記事の主体は七年前、本学に元沖縄県知事の大田昌秀先生をお招きした際の特別講義「戦後七十年　沖縄と平和」の要旨。そのリード文でも、ウクライナ侵攻に対する学長声明に触れつつ、「様々な社会問題について、自分の頭で考え、他者との議論を通じて自分なりの意見を持つように」と発信した。

五月二十日には、全学の教職員研修会の講師として元駐ウクライナ特命全権大使の角茂樹氏をお招きして、「ロシアは、なぜウクライナに侵攻したのか」についてご講演いただいた。知っているようで知らないウクライナのこと、そんなサブタイトルを自分の中では付けていた。貴重な機会なので教職員だけでは、とも思い、産官学連携先にも声をかけたところ、地元の市長、県会議員や県庁職員、県立高校教員、また県内企業のトップの方々も駆けつけてくださった。本学法学部の国際法のゼミ生も熱心に耳を傾けてくれた。会場内をヒマワリの花で飾り、会の前後には本学吹奏楽部がウクライナ国歌を演奏した。筆者自身、行ったことのない国だったが、全員で起立して国歌を傾聴し、心が震えた。

「日本学生支援機構のホームページを見た」と、現地ウクライナ人学生から本学への留学の問い合わせが複数届いている。留学生受け入れを先行している京都先端科学大学の担当者より、出入国に関する手続きの方法などをご教示いただいた。そう。できることから始めていこう。

2022年6月13日

エピローグ

この度の上梓にあたり、推薦のメッセージを頂戴し、かつ筆者に株式会社ＰＨＰ研究所の櫛原吉男顧問をご紹介くださった株式会社紀伊國屋書店代表取締役会長兼社長の高井昌史氏にまずもって感謝申し上げたい。高井氏は、筆者の小学校、中学・高等学校の母校である成蹊学園の同窓会組織・一般社団法人成蹊会の会長職を務められ、公私にわたり日々ご指導を賜っている。

ある日、高井氏よりお声かけをいただき、ＰＨＰ研究所が発刊する雑誌『衆知』の「高井昌史の教育改革対談」の第一二回目に、朝日大学を取り上げていただいた。対談は、高井氏と学校法人朝日大学理事長で義弟にあたる宮田淳、そして筆者の３者で行われ、二〇一九年十一－十二月号に掲載された。この対談のなかで、筆者は地方私立大学の役割として、将来、その地方を支える人材を県外へと流出させないための「ダム機能」について持論を展開し、公認会計士の育成やトップアスリートの輩出といった本学の取り組み事例を紹介させていただいた。この対談に立ち会われた櫛原顧問より後日ご連絡を頂戴し、是非ご紹介したい方がいるので、とのお誘いを受けたのがソフトバンク株式会社の当時、副社長であった宮川潤一氏であった。

櫛原顧問にのこのことついていき、汐留のソフトバンク本社を訪問したのは翌二〇二〇年一月のことだった。ご多忙な宮川副社長と、地方創生を軸に一時間以上議論させていただいた。その時初めて、宮川氏が名古屋で起業した際の苦労話や、融資をしてくれたのが岐阜県の地方銀行である十六銀行であり、かつ当時の担当者が池田直樹氏であったこと等を伺った。その後、宮川氏はソフトバンクの代表取締役社長に、池田氏は十六フィナンシャルグループの代表取締役社長に就任され、現在に至っている。その後も櫛原顧問からさまざまな情報提供をいただき、また光栄にも二〇二二年十一月にはPHP研究所内の松下資料館を見学させていただいた。「商売」からかけ離れた世界に身を置いてきたがゆえ、筆者にとって松下哲学のすべてが新鮮であった。

そんなご縁もあって今般、権威あるPHP研究所より本書を出版させていただく運びとなった。編集にあたっては櫛原顧問、そして會田広宣氏に大変お世話になった。また前著『感情の記憶』と同様にデザインから装幀に至るまで、株式会社レジオネテクニカ代表取締役社長の野村卓氏に全面的なご支援をいただいた。そしてPHP研究所からの上梓をご快諾いただいたジアース教育新社の加藤勝博社長、コラムの編集を担当してくださった同社の中村憲正氏など、関係するすべての方々に感謝を申し上げる。

われわれはパナソニックやトヨタといった「ものつくり」と同様に、教育、医療といった「人をつくる」仕事に従事している。そのことに誇りを持ち、今後も人と人との縁を大切にして言葉を紡いでいきたい。

参考文献等

『雪形』市立大町山岳博物館発行・編集、二〇〇七年十一月
『明智光秀』 岐阜県大河ドラマ「麒麟がくる」推進協議会編
『土岐市観光案内マップ 土岐明智氏ゆかりの地』 土岐市観光協会編
『#TOKITRIP』 土岐市観光協会編
『高等学校 琉球・沖縄の歴史と文化』 編集工房 東洋企画、二〇一〇年
『東京2020オリンピック聖火リレーとは』 東京オリンピック・パラリンピック競技大会組織委員会
https://tokyo2020.org/ja/torch/about/
『鵜飼ご観覧の手引き』 岐阜市作成
『新型コロナウイルスの流行で変わったわれわれの生活』 New Food Industry 62 (6): 436-440、二〇二〇 戴秋娟

〈著者略歴〉
大友克之（おおとも・かつゆき）
朝日大学学長　博士（医学）　専門：整形外科学、骨のがん
1966年、東京都生まれ。1985年、成蹊高等学校卒業。1991年、昭和大学医学部卒業。1993年～95年、国立がんセンター中央病院にて研修、1997年、順天堂大学大学院医学研究科修了。朝日大学へ赴任。国立医療・病院管理研究所にて研修。朝日大学歯学部教授、附属村上記念病院（現 朝日大学病院）副病院長、学生部長、副学長、学長事務代理などを歴任。2008年、朝日大学学長に就任。著書に『感情の記憶』（岐阜新聞社）がある。

装幀・本文デザイン　野村 卓（株式会社レジオネテクニカ）
フォトグラファー　高木清志
本多智之
阿部隼人
森若 匡
守谷美峰

学長！ 出番です。
学長ときどき医師の徒然草

2023年8月7日　第1版第1刷発行

著　者　大　友　克　之
発行者　村　上　雅　基
発行所　株式会社ＰＨＰ研究所
京都本部　〒601-8411　京都市南区西九条北ノ内町11
教育ソリューション企画部　☎075-681-5040（編集）
東京本部　〒135-8137　江東区豊洲5-6-52
普及部　☎03-3520-9630（販売）
PHP INTERFACE　https://www.php.co.jp/
組　版　朝日メディアインターナショナル株式会社
印刷所
製本所　図書印刷株式会社

ISBN978-4-569-85521-9